surowe pyszności

surowe pyszności

smaczne i odświeżające sałatki

AMBER LOCKE

Tytuł oryginału: Nourish Vibrant Salads to Relish & Refresh
Przekład: Hanna Turczyn-Zalewska

ISBN 978-83-274-5461-4

Firma Księgarska Olesiejuk
spółka z ograniczoną odpowiedzialnością Sp.j.
05-850 Ożarów Mazowiecki
ul. Poznańska 91

wydawnictwo@olesiejuk.pl
www.wydawnictwoolesiejuk.pl

Dystrybucja: www.olesiejuk.pl

Printed in China

Printed and bound in China

Nadzór redakcyjny Stephanie Jackson

Projekt graficzny Yasia Williams-Leedham

Redakcja Pollyanna Poulter

Zdjęcia Amber Locke

SPIS TREŚCI

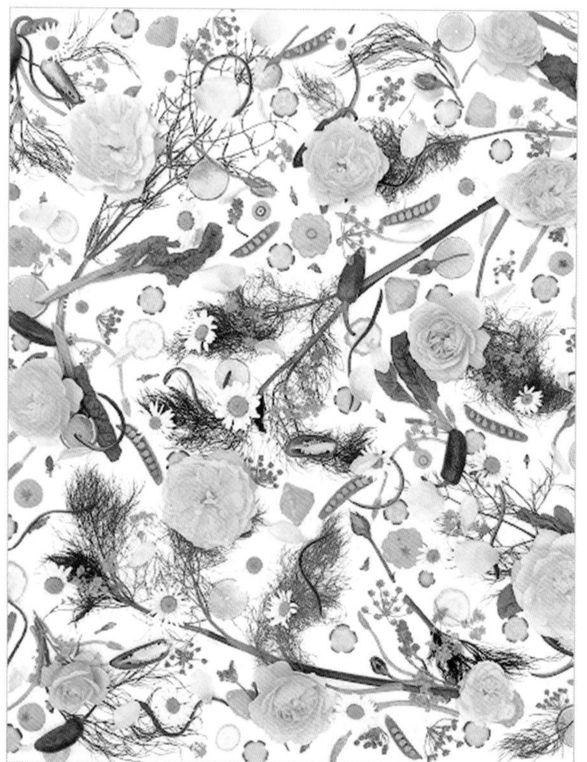

wprowadzenie

O MNIE

Wszyscy w mojej rodzinie są zwolennikami zdrowego żywienia, a moi rodzice pasjonują się przy tym ogrodnictwem, więc w naszej kuchni zawsze było mnóstwo warzyw korzeniowych i liściastych, ziół i owoców. Mama jest utalentowaną kucharką i nauczyła mnie doceniać dobrej jakości składniki oraz tworzyć piękne, pożywne dania – posiłek musiał zawierać składniki w co najmniej siedmiu różnych kolorach, żeby był prawidłowo skomponowany i pożywny! Nic dziwnego, że przygotowywane z miłością domowe sałatki z sezonowych płodów rolnych, oszałamiały barwami i wspaniale smakowały. To od nich zaczęła się moja pasja do świeżych owoców i w ogóle do wegańskiej i zdrowej żywności.

MOJA MIŁOŚĆ DO SUROWIZN

Decyzja o spożywaniu samych tylko surowych produktów może mieć wiele przesłanek, ale u mnie wyniknęła z czystej ciekawości. Natknęłam się na tę koncepcję podczas lektury magazynu „Vogue" i bardzo się nią zainteresowałam. Po okresie poszukiwań dodatkowych informacji postanowiłam, wprowadzić ją w życie na kilka tygodni. Efekty przeszły moje oczekiwania! Czułam się wspaniale – miałam niesamowitą energię i niewiarygodnie jasny umysł, a do tego znakomite samopoczucie i żadnych problemów ze snem w nocy. Od tamtego czasu minęły dwa lata i teraz jem ok. 80% surowych produktów, zależnie od pory roku. Jeśli chodzi o mnie, ten sposób odżywiania wspaniale się sprawdza.

Wiem, że jedzenie samych surowizn może się wydawać nieco dziwaczne, niespecjalnie apetyczne i raczej męczące, ale skomponowane z nich posiłki są też smaczne i doskonale działają na organizm. Warto samemu się przekonać. Polecałabym zacząć od jednego posiłku z surowych składników dziennie – przecier lub koktajl na śniadanie albo duża surówka na wczesny obiad lub kolację – i obserwować, czy nam to służy.

Gdy zaczęłam jeść głównie produkty surowe, od nowa doceniłam świeże owoce i warzywa, zafascynowało mnie też tworzenie coraz smaczniejszych i piękniejszych surówek. Po ponad dwóch latach codziennego przyrządzania surówek, nadal jestem ich entuzjastką. Dla mnie spędzenie odrobiny czasu w kuchni, żeby wyczarować wielkie michy pyszności, które smakują nie tylko mnie, lecz także całej rodzinie (a wszyscy uwielbiamy jeść i mnóstwo jemy!), jest przyjemnym zakończeniem długiego dnia, a także wspaniale smakuje.

Uwielbiam odkrywać nowe składniki oraz nowe sposoby przygotowywania owoców i warzyw, a także dobieranie kombinacji smaków i aromatów. Zawsze zdumiewa mnie nieskończona różnorodność i piękno naturalnych składników, dlatego zaczęłam układać z nich rozmaite wzory.

Bardzo też lubię sama uprawiać niektóre rośliny i skłaniam się ku co bardziej niezwykłym tradycyjnym czy też nowoczesnym odmianom, gdyż urzekają mnie ich kolory, smaki, kształty i faktury. Za każdym razem, gdy się wykorzystuje samodzielnie wyhodowane rośliny, towarzyszy temu poczucie, że czegoś dokonaliśmy, nawet jeśli jest to zerwanie kilku świeżych ziół z własnego ogródka.

O KSIĄŻCE

Surówki odgrywają główną rolę w większości metod żywienia surowymi produktami, ale nie należy traktować ich jako pożywienia przydatnego tylko latem lub lekkiego, mało sycącego posiłku, złożonego z kilku poszarpanych, pozbawionych wyrazu liści sałaty. Surówki i sałatki mogą być duże i stanowić śmiałe zestawienie smacznych, pożywnych składników. Dodajmy do tego nieziemsko pyszne sosy i dressingi, które sprawią, że miska pełna surowych pyszności zyska całkiem nowy wymiar.

Ta książka mówi o tym, co najbardziej lubię w surowych produktach, a w sałatkach i surówkach w szczególności. Oprócz przepisów na słodkie i słone sałatki, przeze mnie wystylizowane i sfotografowane, znajdzie w niej czytelnik rozdział o sosach, dressingach i dodatkach, a także porady co do składników oraz technik i sposobów krojenia. Każdy przepis zawiera najważniejsze informacje na temat wartości odżywczych i zdrowotnych, a także wskazówki, jak dostosować daną sałatkę do różnych upodobań smakowych, diet i okazji. Są tu też rozmaite porady, co do gotowanych dodatków oraz tworzenia niewegańskich i niewegetariańskich wariantów.

Z podanych w przepisach liczby składników otrzymamy sałatkę dla 2-4 osób, ale dieta oparta na surowiznach i warzywach jest bardzo obfita, porcje są naprawdę duże, więc trzeba dostosowywać porcje do aktualnego stanu naszego apetytu i potrzeb odżywczych.

Mam nadzieję, że książka okaże się naprawdę przydatna i że czytelnik będzie miał tyle samo radości z czytania jej, co ja z jej tworzenia, a moje przepisy i zdjęcia zyskają aprobatę zarówno pod względem kulinarnym, jak i wizualnym.

Viva la veg!

CO SIĘ SKŁADA NA DOBRĄ SAŁATKĘ?

Sałatka czy surówka może być prosta lub skomplikowana, zależy to tylko od nas, a te bardziej skomplikowane w żadnym razie nie zawsze muszą być smaczniejsze. Talerz grubo krojonych, dojrzałych na słońcu pomidorów nie potrzebuje niczego więcej, jak odrobiny morskiej soli, paru kropel pysznej, tłoczonej na zimno oliwy z oliwek i kilku posiekanych listków świeżej bazylii, by wydobyć ich naturalną doskonałość. Jeśli o mnie chodzi, to misa tartej marchewki z dodatkiem sosu winegret świetnie spełnia swoje zadanie i trafia nawet w wybredne gusta, zwłaszcza, gdy mam mało czasu.

Osobiście zjadam olbrzymią surówkę co najmniej raz dziennie. Najczęściej przyrządzam ją z tego, co mam w lodówce albo na półkach, w szklarni lub w ogrodzie. Czasem tylko planuję specjalne zakupy i pogrążam się w dłuższym, niemal medytacyjnym procesie siekania, tarcia i krojenia, aby stworzyć bardziej wymyślną potrawę. Można jeść surówki nawet na śniadanie, w postaci rozdrobnionego, zielonego przecieru lub soku.

Ludzie często wzdragają się przed jedzeniem surówek w chłodniejszych miesiącach roku, lecz jeśli dodamy pożywny i pikantny dressing (doprawiony np. czosnkiem i ostrymi przyprawami), warzywa bogate w węglowodany, takie jak marchewka, słodkie ziemniaki i seler, oraz dorzucimy trochę nasion i orzechów, nasza sałatka od razu stanie się bardziej sycąca i „rozgrzewająca". Jeśli zaś nie ograniczamy się tylko do surowizn, dodanie warzyw gotowanych, ciepłego sosu lub dressingu oraz dodatków z całą pewnością wzbogaci surówkę.

Czasem uważamy, że sałatki mogą być głównie słonawe, ale dodanie do naszej warzywnej kreacji owoców – truskawek, jagód czy fig – zmienia wszystko. Dodatki te nie tylko pięknie wyglądają, ale też nadają surówkom przyjemną, delikatną fakturę oraz słodycz.

Najlepszym sposobem przystąpienia do przygotowania surówki jest zgromadzenie sezonowych i ekologicznych produktów, gdyż mają one wysokie walory smakowe i zdrowotne. Kupując produkty ekologiczne, starajmy się wybierać je spośród Czystej 15, a unikać Brudnej „Dwunastki" (patrz dalej). Zasada jest taka, że owoce i warzywa o grubej skórce absorbują mniej pestycydów, niż te, których skórka jest cienka.

BRUDNA 12 I CZYSTA 15

Gdy do sporządzonego w 2013 r. spisu zwanego Brudną Dwunastką dołączono warzywa kapustne i papryki, zmienił się on w Brudną 14*. Choć spis ten często jest przytaczany przy różnych okazjach, trzeba pamiętać, że powstał w Ameryce i że rodzaj wykorzystanych substancji chemicznych oraz zawartość pestycydów może się różnić od stosowanych w innych miejscach świata. Jednak główne zastrzeżenia pozostają te same.

*Raporty dotyczących zawartości pestycydów w roślinach zamieszczono w *Przewodniku Klienta EWG*, www.ewg.org

BRUDNA 12'

1. **jabłka** 2. **gruszki** 3. **nektarynki** 4. **truskawki** 5. **winogrona** 6. **seler naciowy** 7. **szpinak** 8. **papryka** 9. **ogórek** 10. **pomidorki koktajlowe** 11. **groszek cukrowy** 12. **ziemniaki** 13. **chili** 14. **warzywa kapustne**

CZYSTA 15

1. **awokado** 2. **kukurydza cukrowa** 3. **ananas** 4. **kapusta warzywna** 5. **groszek (mrożony)** 6. **cebula** 7. **szparagi** 8. **mango** 9. **papaja** 10. **kiwi** 11. **bakłażan** 12. **grejpfrut** 13. **melon kantalupa** 14. **kalafior** 15. **słodkie ziemniaki**

JAK ZROBIĆ SAŁATKĘ DOSKONAŁĄ

1. Wybieramy rozmaite świeże warzywa, kierując się ich wartością odżywczą, smakiem, kolorem, fakturą i wrażeniami estetycznymi.
2. Kupujemy produkty jak najświeższe i jak najlepszej jakości. Patrz Tajniki dobrej sałatki na stronie 17, gdzie przedstawiono najlepsze metody mycia i przechowywania składników surówki, aby zachowały maksimum świeżości i się nie psuły.
3. Wszystkie składniki dobrze osuszamy. Jest to bardzo ważne, zwłaszcza w wypadku delikatnych liści sałaty, ponieważ dressing nie pokryje wilgotnego liścia, a poza tym nie chcemy, żeby surówka była wodnista.
4. Staramy się, żeby w porcji nabranej na widelec znalazły się różne elementy, takie jak liście sałaty, warzywa, świeże zioła oraz różnorodne kawałki – miękkie, chrupiące i soczyste, a także coś o posmaku słodkim (owoc lub dressing), żeby uzyskać równowagę aromatów i faktury.
5. Niektóre surówki i sałatki – te z delikatniejszych liści – najlepiej smakują ze świeżym, lekkim dressingiem, natomiast te, w których liście i inne składniki są twardsze, dobrze komponują się z bardziej intensywnymi w smaku, cięższymi, nawet śmietanowymi sosami.
6. Jeśli podajemy surówkę polaną dressingiem, dodajemy go po odrobinie, pilnując, żeby nie przemoczyć całej potrawy. Jeśli nie jest to surówka typu coleslaw, która lepiej smakuje, gdy się ją wcześniej przyprawi dressingiem, lepiej dodać dressing przed samym podaniem (patrz strony 122-124).
7. Warto ozdobić surówkę kilkoma estetycznymi dodatkami (patrz strony 136-140).

SIATKA SMAKÓW

Składniki sałatek i surówek można pogrupować, kierując się ich podstawowym profilem smakowym. Zestawiając je w zrównoważony sposób i doprawiając odpowiednim dressingiem uzyskamy ciekawe, dobrze skomponowane i pyszne sałatki. Ogólny podział wygląda następująco.
Neutralny: większość sałat o miękkich liściach, kapusta warzywna, kapusta chińska, szpinak, awokado, grzyby, ogórek
Trawiasty: seler naciowy, szparagi, burak liściowy, fenkuł, fasolka szparagowa, zioła
Pikantny: rukiew wodna, rokietta siewna (rukola), rzodkiewki, chrzan, rzepa, chili. czosnek, cebula, por, imbir, bazylia, pieprzyca siewna (rzeżucha), kapusta sitowata (kapusta sarepska/gorczyca sarepska)
Słodki: fenkuł, papryka, marchew, buraki, groszek, kukurydza cukrowa, słodkie ziemniaki, pasternak/korzeń pietruszki, dojrzałe pomidory, świeże owoce i jagody
Kwaśny: owoce cytrusowe, rabarbar, zielona papaja, szczaw, niezbyt dojrzałe pomidory, trawa cytrynowa
Gorzki: endywia, cykoria, balsamka ogórkowata (gorzki ogórek), jarmuż, okra, liście mniszka, bakłażan, cykoria sałatowa, cykoria katalońska/szparagowa, brokuły

trawiasty
pikantny
kwaśny
słodki

STYLIZACJA SAŁATKI

Jeśli przygotowuję surówkę dla siebie, skłaniam się zwykle ku tej samej ulubionej mieszance, ale gdy mam nakarmić kilka innych osób, staram się zaprezentować im duże, pięknie zaaranżowane półmiski, ponieważ oferują więcej miejsca i umożliwiają takie ułożenie składników, żeby wyglądały możliwie najbardziej atrakcyjnie.

Każde jedzenie wygląda lepiej, gdy podaje się je w pięknej misie lub na półmisku. Ja używam zwykle białej zastawy (tylko czasem zamieniam ją na czarną lub w kolorze szarego łupka), ponieważ lubię, gdy kolory składników naprawdę wyraźnie się odcinają od tła. Czasem też układam sałatkę warstwami, jak deser, w przezroczystych pucharkach Jeśli zabieram sałatkę do pracy albo na piknik, używam do tego dużego, zakręcanego słoika, w którym układam składniki warstwami, w miarę ich krojenia.

Surówki można prezentować na najróżniejsze sposoby i to naprawdę może być dobra zabawa. Układa się je w koło, jak mandalę, albo w szachownicę, bądź też po prostu sieka się wszystkie składniki, wsypuje do dużej misy i zwyczajnie miesza.

PRZYGOTOWANIE SAŁATKI

Uwielbiam ten moment, gdy wracam z targu lub z supermarketu i muszę zdecydować, co zrobić z kupionych właśnie składników. Przygotowując się zatem do przyrządzenia sałatki zwykle układam produkty na kuchennym stole i w myślach przebiegam wszystkie czynności, które powinnam z każdym z nich wykonać, oraz zastanawiam się, jak poszczególne składniki będą ze sobą współgrać. Różnorodność zestawów i sposobów przygotowania jest nieskończona (jak „101 sposobów na marchewkę") i nawet liście najzwyklejszej sałaty można przyrządzić rozmaicie – posiekać, porwać na kawałki wielkości kęsa, zgrillować, udusić, a nawet wykorzystać na taco lub zawinąć w nie farsz. Najbardziej bawi mnie wyzwanie, by z najprostszych warzyw i owoców stworzyć coś naprawdę kreatywnego i inspirującego. W książce przedstawiono mnóstwo sugestii i pomysłów, ale i tak zachęcam do samodzielnego eksperymentowania.

Moim ulubionym sposobem rozpoczynania tworzenia surówki jest sporządzenie podkładu z surowych warzyw i/lub zielonych liści. Stanowią one niezwykle zdrową bazę wszystkich jadanych przeze mnie sałatek. Następnie dodaję wybrane „słonawe" owoce i warzywa, po nich kilka elementów słodkich lub cierpkich, a na koniec posypuję wszystko składnikami z kategorii superżywności lub innym przybraniem. Niekiedy dodaję kilka gotowanych warzyw albo trochę węglowodanów lub protein, ale zielenina i surowe warzywa zawsze stanowią główny procentowo składnik, a wszystko inne ma na celu dołożyć smaków (uzupełniających bądź kontrastujących), faktury, urody lub dodatkowych walorów odżywczych do przyrządzonej przeze mnie misy surówki!

Są takie warzywa, zwłaszcza korzeniowe, które nie od razu przychodzą na myśl, gdy rozważamy jedzenie surowych produktów, jak na przykład słodkie ziemniaki. bulwy topinamburu (słonecznik bulwiasty), kalafior, łodygi brokułów, dynia piżmowa, seler korzeniowy czy rzepa. Jeśli jednak pokroimy je w cieniutkie plasterki, mogą być niezwykle smacznym i bardzo odżywczym składnikiem surówek. Jeśli kupimy marchew i buraki ekologiczne, nie wahajmy się wykorzystać czubków marchewek i liści oraz łodyg buraków, ponieważ są pyszne i zawierają mnóstwo potrzebnych składników.

Niżej przedstawiam spis niektórych najważniejszych świeżych składników, których często używam do przyrządzania surówek. Mam nadzieję, że pomoże w rozpoczęciu podróży przez świat surówek.

Zieleniny, takie jak:

- **Sałaty:** mała sałata rzymska, masłowa, lodowa (często uważana za nieciekawą w smaku i zbyt wodnistą, ale gdy się ją schłodzi i drobno pokroi, nadaje surówce wspaniałą, chrupką fakturę), rzymska, frisee, oak leaf (czerwona), rukola, kapusta chińska, kapusta pekińska, roszponka warzywna
- **Cykoria:** cykoria/endywia, cykoria liściowa, frisee
- **Ciemnozielone liście:** szpinak, rukiew wodna, jarmuż, burak liściowy, liście mniszka (wszystkie te zieleniny są bardzo cenne, im ciemniejsze liście, tym lepsze)
- **Kapustne:** jarmuż, kapusta włoska, brukselka
- **Soliród, wodorosty** lub inne jadalne warzywa morskie
- **Kiełki nasion i fasolek:** kiełki słonecznika
- **Drobna zielenina:** wcześnie zebrany niewyrośnięty jarmuż, siewki groszku i ziół
- **Wierzchołki marchewek i liście buraków**
- **Garść świeżych, siekanych ziół**
- **Zieleniny mniej bogate w składniki odżywcze:** brokuły, fenkuły, ogórek, seler naciowy, cukinia, fasolka szparagowa, groszek cukrowy, bób
- **„Słonawe" surowe owoce i warzywa, takie jak:** rzodkiewki, seler naciowy, szparagi, kalarepa, kalafior, cebula/dymka ze szczypiorem, czosnek niedźwiedzi, grzyby, awokado, kapusta, karczoch, okra, biała rzodkiew (daikon)

„SŁODKIE" SUROWE WARZYWA I OWOCE, TAKIE JAK:

- papryka, kukurydza cukrowa, pomidory, marchew, słodkie ziemniaki, dynia piżmowa
- jabłka, papaja, brzoskwinie, morele, winogrona, figi, kiwi, klementynki, ananas, czarne jagody, truskawki, maliny
- owoce suszone, takie jak rodzynki sułtanki i zwykłe, daktyle, figi

OPIS NIEKTÓRYCH SKŁADNIKÓW

Cebula Często warto dodać do surówki akcent „cebulowy", ponieważ natychmiast nadaje on całości pewną słoność, a mocny smak cebuli sprawia, że surówka wydaje się bardziej sycąca. Wspaniała jest drobno siekana dymka ze szczypiorem, podobnie jak szczypiorek i szalotki (mają łagodniejszy smak, niż biała cebula). Cebula czerwona jest słodsza, a cebula gotowana (pieczona, smażona, duszona, grillowana lub karmelizowana) to również wspaniały dodatek. Warto niekiedy krótko zamarynować duże cebule (czerwone lub białe, a czasem nawet szalotki) zanim się je doda do surówki. To złagodzi smak i sprawi, że surówka posmakuje nawet osobom nie lubiącym cebuli.

Zawsze siekam cebulę na mikrokostkę lub na cienkie jak papier krążki za pomocą szatkownicy, ponieważ – jeśli nie jesteśmy prawdziwymi miłośnikami surowej cebuli – duże kawałki tego warzywa mogą zepsuć cały efekt i zdominować surówkę. Można też posypać całość solą cebulową lub przyprawić łyżką cebulowego ćatni (chutney).

Czosnek Jeśli ktoś lubi posmak czosnku w surówce, warto przetrzeć wnętrze miski, w której zamierzamy ją podać, przekrojonym ząbkiem czosnku. Delikatny aromat przeniknie składniki. Można też włożyć obrany ząbek czosnku na 30 minut do dressingu, po czym go wyłowić i tak przygotowanym dodatkiem polać sałatę. Uzyska ona delikatny smak czosnku.

Kalafior z uwagi na wszechstronne zastosowania, stał się ostatnio bardzo modnym warzywem. Podpieczony nabiera nowych smaków, natomiast gotowany i rozgnieciony na purée jest dobrym zamiennikiem dla tradycyjnych tłuczonych ziemniaków. Zapiekając go na chrupko, zyskujemy niskowęglowodanowy, bezglutenowy podkład do pizzy. Bardzo drobno posiekany lub starty nadaje surówkom przyjemną, ziarnistą strukturę i doskonale zastępuje ryż. Zmieszany z sałatkami wzbogaca ich fakturę, a do tego świetnie przyjmuje wszelkie dressingi.

Warzywa włókniste, które zwykle się gotuje (jak burak ćwikłowy czy dynia), można też zetrzeć lub pokroić na cieniutkie plasterki, aby były łatwiejsze do strawienia. Czasem warto je przedtem zamarynować lub polać dressingiem i odstawić na chwilę na bok, żeby zmiękły – to świetnie się sprawdza w takich surówkach jak coleslaw, ponieważ włókna kapusty miękną i łatwiej je pogryźć. Nie zapominajmy też o topinamburze, który jest pyszny na surowo. Obrany i pokrojony w cienkie plasterki lub starty, dodaje sałatkom chrupkości, podobnie, jak bulwy ponikła słodkiego.

Przypieczone ziarno kukurydzy, pieczone papryki, cukinie, grzyby, dynie i bakłażany są wspaniałym, niesurowym dodatkiem do sałatek i nadają im pyszny, wędzony smak. Jeśli najpierw zgrillujemy połówki cytrusów, a dopiero potem wyciśniemy z nich sok do dressingu, uzyskamy niepowtarzalny efekt. Gdy następnym razem zrobimy grilla, nie zapomnijmy upiec na ruszcie kilku warzyw, którymi wzbogacimy swoje surówki w następnych dniach – to niesamowite, jak przydają się wcześniej przypieczone składniki i ich dymny, wędzony aromat, gdy przyjdzie nam ochota na sałatkę.

Pikle i produkty fermentowane mają wspaniały słodki/kwaśny posmak. Nie tylko są pełne przyjaznych bakterii, lecz także znakomicie podkreślają smak surówki – nie wahajmy się otworzyć słoika kimchi czy kiszonej kapusty i dodać nieco do następnej sałatki.

Zioła są wspaniałym sposobem na dodanie świeżego smaku i „blasku" naszym surówkom. Mięta (całe lub siekane liście) wspaniale pasuje do większości z nich. Komponowanie dodatków ziołowych to świetna zabawa, która może trwać cały rok, ponieważ suszone zioła doskonale pasują do rozmaitych dressingów.

Powszechnie stosuje się bazylię, tymianek, natkę pietruszki, oregano, majeranek, kolendrę i szczypiorek. Z pewnością warto je uprawiać samemu, jeśli tylko jest taka możliwość. Inne, bardziej nietypowe zioła, jak werbena cytrynowa (lippia trójlistna) czy melisa lekarska (zwłaszcza w surówkach z owocową nutą), a także marchewnik anyżowy, lubczyk, cząber ogrodowy i górski, japońskie zioło shiso (pachnotka zwyczajna) lub słodki, smakujący jak lukrecja kłosowiec anyżowy też sprawdzają się doskonale (jeśli uda nam się je zdobyć).

Kwiaty jadalne dodają surówkom urody, aromatu, a niekiedy również delikatnego, kwiatowego smaku. Używajmy tylko tych nieskażonych pestycydami i innymi środkami chemicznymi (kwiaty z kwiaciarni lub supermarketu zupełnie się nie nadają) i upewnijmy się, że wybrany kwiat rzeczywiście jest jadalny – można to sprawdzić np. w wiarygodnych źródłach w internecie.

Najczęściej dodaję do surówek i sałatek kwiaty nasturcji, nagietka, bratka, róży, słonecznika, stokrotki, fuksji, lawendy, cukinii, cykorii, fasoli wielkokwiatowej, bobu, szałwii, szczypiorku, ogórecznika, tymianku, fenkułu (żółtego i czerwonego), kopru i czerwonej bazylii.

Orzechy i nasiona Choć wszystkie orzechy i nasiona są bogate w tłuszcze, wspaniale komponują się z surówkami, ponieważ zawierają też białka, błonnik oraz całe mnóstwo innych składników odżywczych. Można dodawać je bez obróbki, ale można je też piec, pokrywać przyprawami lub karmelizować; pozostawić w całości, posiekać, pokruszyć lub zetrzeć. Czasem niektóre ścieram, inne zaś siekam lub kruszę, żeby drobne twarde kawałki obtoczyły składniki sałatki i nadały jej interesującą fakturę.

Sól Jeśli staramy się zredukować ilość soli w diecie, to najlepiej dodać do sałatek lub dressingów składniki o naturalnie słonawym smaku. Niektóre warzywa, takie jak pomidory, kapusta chińska, seler naciowy, soliród, burak ćwikłowy i szpinak, a także zioła – np. bazylia – mają z natury wysoką zawartość sodu. Seler naciowy można wysuszyć i pokruszyć – powstanie wówczas pyszny, naturalny „słony" zamiennik. Podobne zastosowanie mogą też mieć łodygi boćwiny. Ja często stosuję w tym celu jej liście w różnych kolorach, wzbogacając nimi „liściową" część surówki, a łodygi siekam drobniutko i posypuję nimi całość jak konfetti.

Po lewej: Różyczki z marchewki wymagają trochę wprawy, ale pokazują, jak zachęcająco może wyglądać talerz surówki.

Po prawej: Słodko-kwaśne „kluski" wegańskie (patrz strona 84).

PO CO OBRABIAĆ TERMICZNIE WARZYWA?

W wypadku niektórych produktów żywnościowych obróbka termiczna zmniejsza ich wartość odżywczą, np. witaminy rozpuszczalne w wodzie, takie jak witamina C, mogą przenikać do wody z gotowania lub ulec zniszczeniu wskutek gorąca. Jednak niektóre produkty pod działaniem ciepła nabierają wartości. Na przykład zawartość likopenu w gotowanych pomidorach jest wyższa niż w surowych i jest on lepiej przyswajalny. Zrównoważona dieta powinna zawierać produkty surowe i gotowane w odpowiednich proporcjach.

Niektóre inne powody, żeby dodać gotowane warzywa:

❖ obrobione termicznie owoce i warzywa często smakują całkiem inaczej, niż surowe, zwłaszcza, gdy zastosujemy zróżnicowane metody obróbki, takie jak gotowanie na parze, pieczenie, duszenie, grillowanie czy smażenie

❖ dla urozmaicenia i upiększenia – kontrastują one z surowymi składnikami, urozmaicają smak i aromat potrawy

❖ niektóre warzywa są łatwiej strawne po obróbce cieplnej, zwłaszcza te bardziej włókniste, takie jak brokuły i fasolka szparagowa

❖ ocieplają potrawę i dodają surówkom elementu „ugruntowania" (co jest szczególnie ważne w chłodniejszych miesiącach roku), a wszystko to bez letargicznego i wolno trawionego ciężaru, jakie dają niektóre gotowane ziarna i rośliny strączkowe – sprawiają, że potrawa szybko syci, ale nie traci przy tym na lekkości i nadal jest lekkostrawna.

Wypróbujmy te składniki:

❖ pieczone lub grillowane warzywa: małe marcheweczki, paprykę, warzywa korzeniowe, dynię, rzodkiewki, kalafior, pory

❖ grillowana sałata lub fenkuł, podsmażone plasterki ogórka, gotowane na parze brokuły, karmelizowana brukselka, grube plastry podsmażonych pieczarek przypominających steki

❖ gotowana na parze lub lekko podgotowana fasolka szparagowa, groszek cukrowy, kapusta chińska, różyczki brokułów

❖ karmelizowane lub grillowane figi, brzoskwinie, jabłka, gruszki, rabarbar

❖ składniki z innych przepisów kulinarnych, takie jak mini burgery z buraka, grzyby z czosnkiem, ratatouille

❖ niektóre warzywa są całkowicie niestrawne na surowo, na przykład zwykłe ziemniaki, zatem trzeba je ugotować, żeby dały się zjeść

Nie ignorujmy też wspaniałych warzyw z zimowych zapraw, słoików i mrożonek, ponieważ dzięki nim nasze sałatki od razu zyskają na smaku i fakturze. Zawsze warto mieć kilka takich przetworów pod ręką na wszelki wypadek.

CZY DODAWAĆ BIAŁKO ALBO WĘGLOWODANY?

Żeby wzbogacić naszą surową supersałatkę, można do niej oczywiście dodać produkty białkowe lub węglowodanowe, zgodnie z tym, co dyktuje nam dieta lub wymagania zdrowotne.

❖ Bogate w białka produkty roślinne, takie jak ziarna i orzechy czy tofu i tempeh, świetnie sprawdzają się w wegańskich potrawach, natomiast farro (płaskurka), quinoa, bulgur, freekeh (zielone ziarno pszenicy), kuskus, makaron pełnoziarnisty i kukurydziany, brązowy i dziki ryż, jęczmień, makaron ryżowy, fasole, soczewica, groch łamany, ciecierzyca, fasolka mung oraz specjalny ryż (taki, który tylko się moczy i je na surowo), są wspaniałym dodatkiem węglowodanowym.

❖ Dodatkowe węglowodany są łatwym sposobem na zwiększenie objętości sałatki, szczególnie wówczas, gdy spalamy dużo energii podczas codziennych czynności lub dużo ćwiczymy. Pamiętajmy, że ten rodzaj składników zawsze wchłania więcej dressingu, niż same surowe warzywa, i weźmy to pod uwagę podczas przygotowania.

❖ Dla niejaroszy można każdą surówkę przedstawioną w tej książce wzbogacić białkiem zwierzęcym, dodając do niej np. sery, jaja, rybę lub mięso. Jest to łatwy sposób na przystosowanie podstawowej surówki do potrzeb każdego smakosza.

TAJNIKI DOBREJ SAŁATKI

Kilka praktycznych rad i trików, żeby nasza sałatka była pyszna:

Pilnujmy różnorodności Jedzmy warzywa i owoce w pełnej gamie kolorów. Rzecz nie tylko w tym, że już samo kupowanie i jedzenie różnorodnych składników jest bardziej interesujące, lecz dzięki różnorodności dostarczamy organizmowi o wiele więcej składników odżywczych, niż gdy jemy wciąż to samo (nawet jeśli jest to superżywność).

Surowizny przede wszystkim Niektóre warzywa (jeśli to możliwe, to większość) jedzmy na surowo, a pozostałych starajmy się nie przegotowywać, ponieważ gorąco niszczy składniki odżywcze, zwłaszcza te, które rozpuszczają się w wodzie i przenikają z warzyw do wody.

Dajmy sobie czas Jeśli nie zamierzamy przygotować gotowej sałaty z paczki albo miski zwyczajnie posiekanych bądź tartych warzyw, przyrządzenie bardziej wykwintnej surówki i specjalnego dressingu wymaga czasu. Dużo czasu zaoszczędzam, przygotowując niektóre składniki dzień wcześniej przy okazji robienia sałatek na lunch, wykorzystując różne tarcze w swoim robocie kuchennym. Zawsze też mam w lodówce słoik podstawowego dressingu winegret, żeby w każdej chwili był pod ręką. Jeśli jednak mam czas, to z przyjemnością od-

Po lewej: Sałatka z pokrojonego ogórka (patrz strona 74)

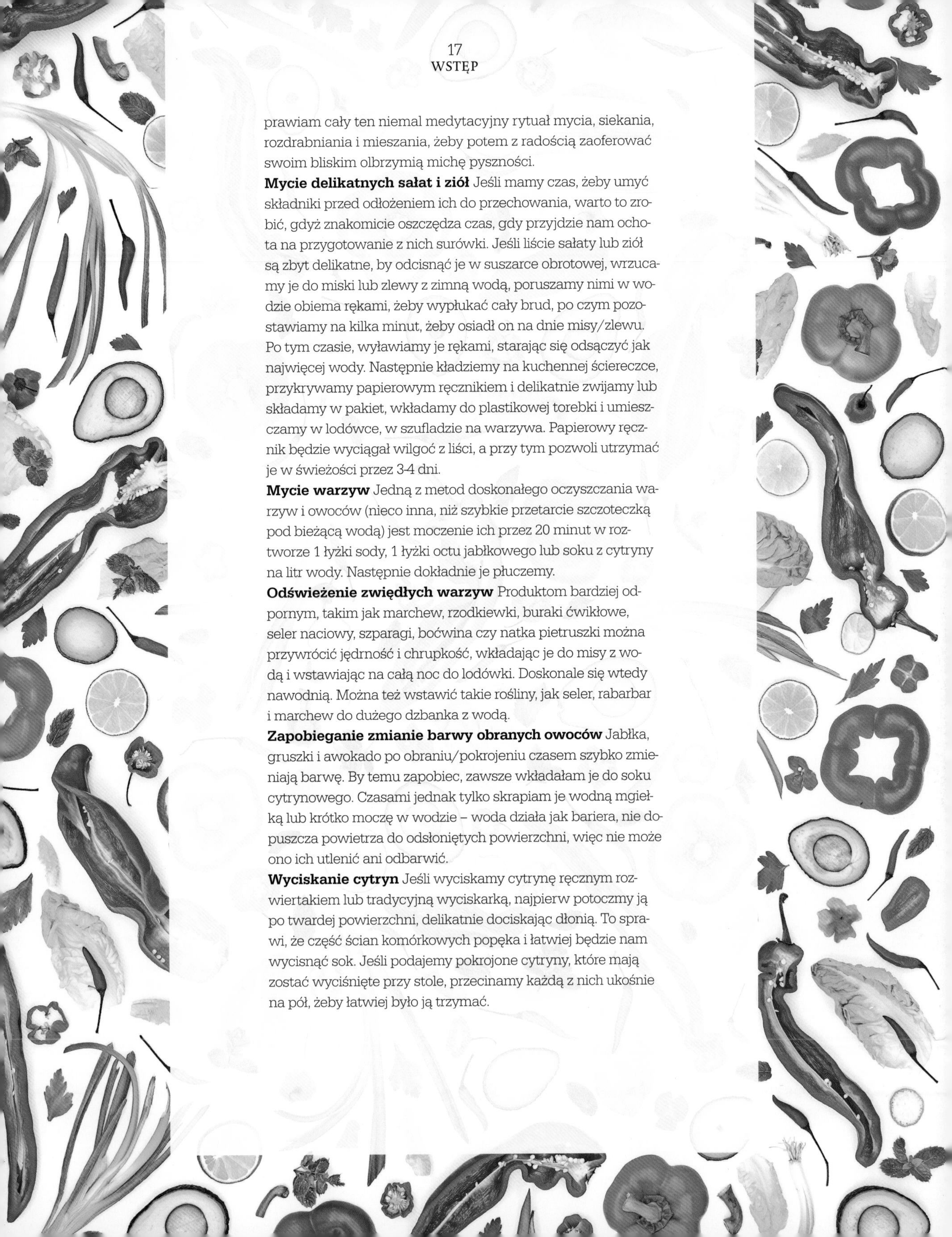

prawiam cały ten niemal medytacyjny rytuał mycia, siekania, rozdrabniania i mieszania, żeby potem z radością zaoferować swoim bliskim olbrzymią michę pyszności.

Mycie delikatnych sałat i ziół Jeśli mamy czas, żeby umyć składniki przed odłożeniem ich do przechowania, warto to zrobić, gdyż znakomicie oszczędza czas, gdy przyjdzie nam ochota na przygotowanie z nich surówki. Jeśli liście sałaty lub ziół są zbyt delikatne, by odcisnąć je w suszarce obrotowej, wrzucamy je do miski lub zlewy z zimną wodą, poruszamy nimi w wodzie obiema rękami, żeby wypłukać cały brud, po czym pozostawiamy na kilka minut, żeby osiadł on na dnie misy/zlewu. Po tym czasie, wyławiamy je rękami, starając się odsączyć jak najwięcej wody. Następnie kładziemy na kuchennej ściereczce, przykrywamy papierowym ręcznikiem i delikatnie zwijamy lub składamy w pakiet, wkładamy do plastikowej torebki i umieszczamy w lodówce, w szufladzie na warzywa. Papierowy ręcznik będzie wyciągał wilgoć z liści, a przy tym pozwoli utrzymać je w świeżości przez 3-4 dni.

Mycie warzyw Jedną z metod doskonałego oczyszczania warzyw i owoców (nieco inna, niż szybkie przetarcie szczoteczką pod bieżącą wodą) jest moczenie ich przez 20 minut w roztworze 1 łyżki sody, 1 łyżki octu jabłkowego lub soku z cytryny na litr wody. Następnie dokładnie je płuczemy.

Odświeżenie zwiędłych warzyw Produktom bardziej odpornym, takim jak marchew, rzodkiewki, buraki ćwikłowe, seler naciowy, szparagi, boćwina czy natka pietruszki można przywrócić jędrność i chrupkość, wkładając je do misy z wodą i wstawiając na całą noc do lodówki. Doskonale się wtedy nawodnią. Można też wstawić takie rośliny, jak seler, rabarbar i marchew do dużego dzbanka z wodą.

Zapobieganie zmianie barwy obranych owoców Jabłka, gruszki i awokado po obraniu/pokrojeniu czasem szybko zmieniają barwę. By temu zapobiec, zawsze wkładałam je do soku cytrynowego. Czasami jednak tylko skrapiam je wodną mgiełką lub krótko moczę w wodzie – woda działa jak bariera, nie dopuszcza powietrza do odsłoniętych powierzchni, więc nie może ono ich utlenić ani odbarwić.

Wyciskanie cytryn Jeśli wyciskamy cytrynę ręcznym rozwiertakiem lub tradycyjną wyciskarką, najpierw potoczmy ją po twardej powierzchni, delikatnie dociskając dłonią. To sprawi, że część ścian komórkowych popęka i łatwiej będzie nam wycisnąć sok. Jeśli podajemy pokrojone cytryny, które mają zostać wyciśnięte przy stole, przecinamy każdą z nich ukośnie na pół, żeby łatwiej było ją trzymać.

Skórka cytrusów Jeśli wykorzystujemy cytrusy tylko na sok, to najpierw obierzmy je ze skórki (zwłaszcza, jeśli są ekologiczne i niewoskowane). Skórkę przechowujemy w zamrażarce w zamykanej na suwak plastikowej torebce i wykorzystujemy w razie potrzeby. Skórka cytrusowa ma ciekawą goryczkę i przyjemną fakturę, wzbogaca nie tylko dressingi do sałatek, lecz również czekoladę, sosy pomidorowe, lody, słodkie sosy custard i wypieki. Ja często wrzucam do wyciskarki całe cytryny (ze skórką) i uzyskuję wspaniały sok o mocnym smaku, którym przyprawiam soki zielone, gorące grogi i dressingi do sałatek, a także polewam nim duszone na parze zieleniny lub przydymione mięsa z grilla.

Siekanie ziół Jeśli potrzeba nam dużych ilości świeżych, miękkich liści ziół, jednym z najłatwiejszych sposobów ich uzyskania (innym, niż cierpliwe oskubywanie listków z łodyg) jest zebranie wszystkich łodyg w dużą wiązkę w jednym ręku i „ogolenie" jej z listków i cieńszych łodyżek dużym ostrym nożem.

Przewożenie surówek i sałatek Jeśli planujemy przewiezienie sałatki w inne miejsce, dobrze jest przygotować ją warstwowo – cięższe/bardziej mokre składniki na spodzie, a bardziej delikatne i suchsze, na wierzchu. Jeśli zaś ilość surówki ma być naprawdę duża, warto zapakować każdy składnik osobno, żeby się nawzajem nie pogniotły. Zawsze też osobno przewozimy dressingi (doskonale nadają się do tego małe słoiki po dżemach) i przyprawiamy surówkę w ostatniej chwili. Jeśli zaś regularnie jadamy surówki w pracy, warto mieć w szufladzie biurka słoiczek dressingu lub sosu.

Blanszowanie Jeśli blanszujemy warzywa, które zamierzamy podać w surówce, takie jak fasolka szparagowa, bób czy różyczki brokułów, nie próbujmy odświeżać ich pod zimną wodą, bo tylko namiękną i potem nie przyjmą dressingu. Wystarczy podgotować je krótko, dobrze osuszyć i odłożyć w chłodne miejsce. Kiedy ostygną, przyprawiamy je osobno dressingiem lub dodajemy do surówki.

Moczenie ziaren i orzechów Aby orzechy i ziarna były jeszcze zdrowsze, trzeba je namoczyć w wodzie, najlepiej zostawić w misce z wodą na całą noc. Czas moczenia jest zróżnicowany i zależy od ich rodzaju (w internecie jest mnóstwo informacji na ten temat), ale moczenie zawsze zapoczątkowuje proces kiełkowania i odblokowuje większość nagromadzonych substancji odżywczych, a także enzymów ułatwiających ich trawienie. Namoczone ziarna bądź orzechy dokładnie płuczemy – w tym momencie można pójść krok dalej i zostawić je do wykiełkowania – patrz sąsiednia strona. Proces moczenia zmiękcza orzechy i ziarna, dzięki czemu są lżej strawne, a także łatwiej je rozdrobnić, jeśli chcemy przygotować z nich dressing.

Kiełkowanie ziaren i orzechów Niektóre orzechy, nasiona i fasolki lepiej nadają się do kiełkowania niż pozostałe. Można je pobudzić do kiełkowania, umieszczając np. w słoiku, który

wkładamy do plecaka, wyruszając w dłuższą podróż. Dzięki temu nigdy nie brak nam dostawy świeżych składników odżywczych, którymi wzbogacamy swój posiłek.

Przygotowanie pasty z daktyli Pasta ta jest doskonałym surowym zamiennikiem cukru i słodzików. Drylujemy 8 daktyli odmiany medjool (duże daktyle, sprzedawane świeże) bez pestek, wkładamy do małej miski i zalewamy odrobiną wody (żeby przykryła daktyle), moczymy 2-3 godziny (lub przez noc). Osączamy z wody i rozdrabniamy blenderem na dużej prędkości z dwiema łyżkami wody z moczenia, aż powstanie gęsta pasta. Jeśli chcemy uzyskać konsystencję syropu, dodajemy jeszcze trochę wody z moczenia. Przechowujemy do dwóch tygodni w lodówce, w szczelnie zamkniętym pojemniku.

Przygotowanie octu smakowego Jest to naprawdę proste. Można użyć do tego rozmaitych kombinacji składników, takich jak rozmaryn, pomarańcza, cytryna, fenkuł, anyż gwiaździsty, oregano, majeranek, estragon, szalotki, chrzan, czosnek, tymianek czy maliny. Wybrane składniki aromatyzujące dokładnie myjemy i osuszamy, jeśli trzeba, kroimy na mniejsze kawałki i rozkładamy do dwóch wysterylizowanych półlitrowych słoików. W dużym rondlu podgrzewamy litr zwykłego octu, prawie do wrzenia, a następnie gorący przelewamy do przygotowanych słoików, zostawiając trochę miejsca od góry. Szczelnie zakręcamy słoiki i odstawiamy w chłodne ciemne miejsce na 2-4 tygodnie. Składniki wykorzystane do aromatyzowania octu można zostawić w słoikach, gdyż z czasem aromat będzie mocniejszy, lub od razu wyrzucić. Po otwarciu słoik z octem trzymamy w lodówce.

Przygotowanie oleju smakowego Można szybko uzyskać aromatyczny olej ziołowy, zalewając garść świeżych ziół w misce robota kuchennego dobrej jakości olejem, żeby przykrył zioła. Następnie, za pomocą ostrza „S" (do siekania) rozdrabniamy wszystko tak długo, aż zioła będą drobniutko posiekane lub całkowicie zblendowane z olejem. Taki olej możemy zużyć od razu lub przechować w szczelnym pojemniku w lodówce. Jeśli chcemy, żeby był przejrzysty, przed użyciem lub przelaniem do słoika dobrze przecedzamy.

Sałatka z turbodoładowaniem Jeśli chcemy dodatkowo wzmocnić surówkę lub sałatkę, dodajmy do niej kilka składników z kategorii superżywności, takich jak jagody goji (kolcowój pospolity/szkarłatny), nasiona chia (szałwia hiszpańska), orzechy i ziarna lub też wmieszajmy superodżywczy proszek, jak spirulina, baobab albo kakao do dressingu.

PRZYBORY KUCHENNE

Do przygotowania sałatki lub surówki wystarczy deska do krojenia i ostry nóż.
Przyda się też zwykła czterostronna tarka i obieraczka do warzyw, a do przygotowania sosów i dressingów wystarczy słoik po dżemie i łyżka do odmierzania... Jeśli jednak chcielibyśmy być trochę bardziej kreatywni, to kilka dodatkowych przyborów dostarczy nam mnóstwo radości. Oto te, z których lubię korzystać w swojej kuchni:

❖ blender wysokiej prędkości z różnej wielkości pojemnikami
❖ różne, niezwykle ostre mandoliny (szatkownice)
❖ tarki typu „pilnik" z różnymi ostrzami (do ścierania skórek oraz rozdrabniania na grube okruszki)
❖ trzepaczki – małe do codziennego użytku oraz jedna duża trzepaczka „balonowa"
❖ spieniacz (do przygotowania pienistych dressingów)
❖ specjalne łyżeczki do wykrawania kulek z melona (standardowej wielkości, mini i o owalnej główce)
❖ kilka ostrych noży – duży do siekania oraz mniejsze do bardziej delikatnych prac
❖ nóż z rowkowanym ostrzem
❖ przyrząd do drążenia podłużnych kształtów
❖ zwykła obieraczka do warzyw
❖ obieraczka do cięcia warzyw na cienkie paseczki
❖ temperówka do warzyw do robienia cienkich plasterków i falbanek
❖ tarka do skórek cytrusowych (do ścierania skórki cytryny i robienia dekoracyjnych nacięć)
❖ nożyki do wycinania spiral (standardowy oraz taki do robienia „włosów anielskich")
❖ rozmaite szablony do wycinania (do ciastek, do ciasta, warzyw oraz makaronów)
❖ robot kuchenny z tarczami trącymi, krojącymi w plasterki, ostrzem „S" do siekania i wyciskarką do cytrusów
❖ kiełkownica do kiełkowania w domu różnych ziaren i fasolek
❖ wyciskarka do soku z cytryny i rozwiertak
❖ rozmaite pojemniki i łyżki do odmierzania.

TECHNIKI KROJENIA

Większość owoców i warzyw jest wyjątkowo smaczna na surowo, a gdy się je posieka lub pokroi na cieniutkie plasterki, to nawet te najbardziej włókniste łatwo zjeść. Wykorzystanie rozmaitych metod krojenia i siekania dodaje sałatce urody i różnorodności. Wystarczy kilka prostych technik, żeby nasze surówki wyglądały naprawdę pięknie i zachęcająco i równie wspaniale smakowały.

Sposób krojenia warzyw i owoców ma bowiem również wpływ na smak potrawy. Na przykład, jeśli niektóre składniki o mocnym smaku, jak cebula czy fenkuł, pokroi się bardzo cienko, to ich smak będzie mniej dominujący, niż gdybyśmy je podali w dużych kawałkach. Warto o tym pamiętać podczas przyrządzania surówki czy sałatki.

Niżej podaję nazwy różnych sposobów krojenia, które sama stosuję. Wszystkie zostały wykorzystane w przedstawionych w książce surówkach i sałatkach.

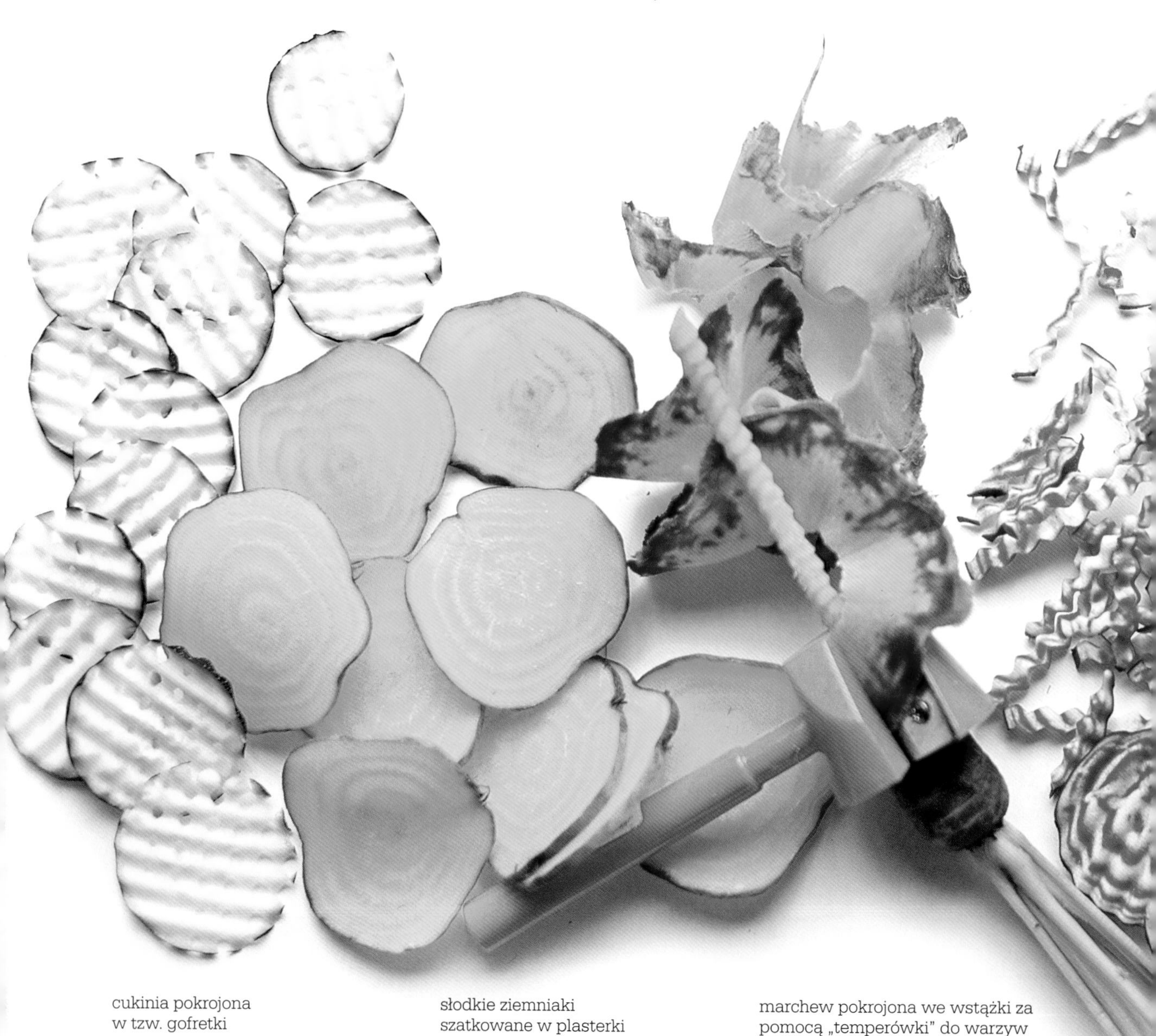

cukinia pokrojona w tzw. gofretki

słodkie ziemniaki szatkowane w plasterki

marchew pokrojona we wstążki za pomocą „temperówki" do warzyw

❖ **wstążka**: szerokie, długie, cienkie plastry, uzyskane przy zastosowaniu „temperówki"
❖ **spirala**: grube paski, cienkie paski, anielskie włosy lub falbanki, uzyskane za pomocą spiralnej krajalnicy
❖ **plasterki**: rozmaitej grubości plasterki uzyskane na różnie ustawionych szatkownicach
❖ **julienne**: krojone ręcznie lub z użyciem specjalnej obieraczki na cienkie słupki wielkości zapałek (obieraczka daje dłuższe paseczki)
❖ **kostka**: warzywa pokrojone w małe szcześciany
❖ **szyfonada**: warzywa pokrojone energicznie w cieniutkie paseczki – taka obróbka doskonale sprawdza się w wypadku ziół i liściastych zielenin
❖ **paluszki**: batony o długości od 5 do 6 cm i grubości od 2,5 do 3 cm
❖ **słupki**: długie, dość cienkie prostopadłościany
❖ **karbowane**: także zygzak (gruby i drobny), kostki lub słupki o karbowanych brzegach albo karbowane plasterki (gofretki)
❖ **ryżowane**: za pomocą dużej czterobocznej tarki lub robota kuchennego rozdrabniamy różyczki kalafiora lub brokuła, aż uzyskamy fakturę ryżu
❖ **nitki**: warzywa rozdrobnione w cienkie paski ręcznie, za pomocą obieraczki lub tarki
❖ **tarte**: grubo, średnio lub drobno.

pokrojony w spirale burak pasiasty · cukinia julienne · pokrjony krajalnicą patison · plasterki marchewki

sałatki i surówki

SAŁATKA „TRUFLOWA" Z AWOKADO

Z awokado można przygotować słonawe „trufle", które interesująco wyglądają w sałatce, a także nawleczone na koktajlowe patyczki. Wystarczy wydrążyć miąższ awokado za pomocą specjalnej łyżeczki, formując kulki, a następnie obtoczyć je w mieszance ziaren. W ten sposób dorzucimy do sałatki nieco superżywności.

Lekki dressing winegret, jak np. Winegret ziołowy (patrz strona 126) lub Dressing z grillowanych cytrusów (patrz strona 129), nadaje sałatce łagodnie kwaśny posmak, równoważąc ciężar awokado, a także delikatnie powleka delikatne liście, nie przytłaczając ich.

2 duże garście mieszanki liści różnych sałat
3-4 łyżki stołowe mieszanki ziaren, takich jak sezam, konopie siewne i mak
2-3 duże dojrzałe awokado
1 mała garść kiełkujących nasion
Winegret ziołowy (patrz strona 126) lub Dressing z grillowanych cytrusów (patrz strona 129)
1 mała garść jadalnych kwiatów do dekoracji

Awokado dostarcza zdrowych, jednonienasyconych kwasów tłuszczowych oraz witaminy E, która chroni komórki organizmu przed uszkodzeniem. Uważajmy jednak, jeśli dbamy o linię, ponieważ awokado jest też bardzo kaloryczne!

Przekładamy liście sałat do płaskiej misy. Nasiona wsypujemy do oddzielnej, mniejszej miski.

Kroimy awokado na pół i wyciągamy pestki. Za pomocą specjalnej łyżeczki wydrążamy miąższ, formując kulki, lub kroimy w kostkę. Kawałki awokado dokładnie obtaczamy w nasionach i umieszczamy w większej misie na liściach sałat.

Posypujemy wszystko skiełkowanymi nasionami i albo od razu podajemy, albo przykrywamy i przechowujemy w lodówce przez dzień lub dwa. Miąższ awokado jest pokryty nasionami, więc nie ulegnie utlenieniu i nie zbrązowieje.

Tuż przed podaniem skrapiamy surówkę wybranym dressingiem i dekorujemy jadalnymi kwiatami.

Zamiast awokado...

Kulki miękkiego lub półmiękkiego sera obtaczamy w mieszance nasion i ziół.

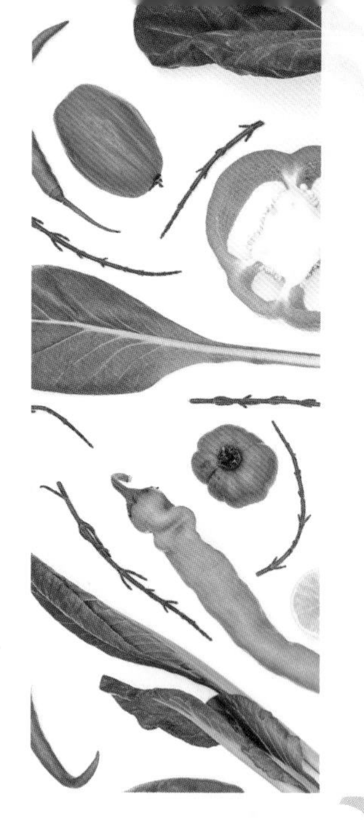

SURÓWKA Z CHIŃSKIEJ KAPUSTY I SOLIRODU

Soliród, zwany też morskim szparagiem, jest bardzo odżywczym warzywem, rosnącym w Europie Północnej. Wspaniale smakuje na surowo. Jest delikatny i soczysty, a mimo to chrupiący, i charakteryzuje się lekko słonawym smakiem. Najlepiej kupować możliwie jak najświeższy, a gdy nie uda nam się go dostać, można go zastąpić innymi świeżymi morskimi warzywami, takimi jak wodorosty arame (*Eisenia bicyclis*), postelsia (jak mówią Anglicy, palma morska) lub dulse (*Palmaria palmata*).

Ja przyrządzam tę chrupiącą mieszaną surówkę z kapustą chińską i paprykami, a przyprawiam jak najprościej, zwykłym sokiem z cytryny i odrobiną świeżej zielonej chili. Dobrze pasuje też do niej słodki i pikantny ocet, jak np. Dressing słodko-kwaśny (patrz s. 84).

Warzywa morskie, takie jak soliród, są bardzo bogatym źródłem jodu – składnika niezbędnego do produkcji hormonów tarczycy, kontrolujących tempo przemiany materii.

400 g solirodu lub innego jadalnego warzywa morskiego (przyciętego i oczyszczonego)
2 duże chińskie kapusty (bok choy) lub chińskie kapusty kwitnące (choy sum)
4-5 różnych papryk (zielona, czerwona, pomarańczowa lub żółta)
1 zielona chili
drobno starta skórka i sok z jednej limonki

Soliród dokładnie myjemy, a następnie siekamy łodygi i liście chińskiej kapusty.

Papryki oczyszczamy z nasion i siekamy na małą kostkę albo w plasterki (można połączyć obie formy). Zieloną chili oczyszczamy z nasion i drobno siekamy

Soliród, kapustę i papryki przekładamy do miski lub na półmisek, wyciskamy na nie sok z limonki i posypujemy wszystko startą skórką oraz siekaną chili.

Wypróbujmy też...

Do tej surówki świetnie pasuje dowolna ryba lub owoce morza, jak np. świeże steki z tuńczyka, krewetki lub łosoś.

SAŁATKA Z FIG I GRANATÓW

Świeże figi wspaniale sprawdzają się w sałatkach – pięknie wyglądają oraz dodają surówce słodyczy i zmiękczają jej fakturę. Są też jednym z owoców prawdziwie sezonowych, niedostępnych przez cały rok, więc stanowią przysmak, na który się czeka, aż do późnego lata.

Ta sałatka łączy głębokie, nasycone kolory z połyskliwym miąższem fig oraz przebłyskującymi tu i ówdzie nasionami granatu w barwnych osnówkach.

2 sałaty o czerwonych liściach
4 główki sałaty rzymskiej
6-8 dużych fig
¼ – ½ obranej czerwonej cebuli
2-3 owoce granatu

Figi są doskonałym, niemlecznym źródłem przyjaznego dla kości wapnia, poza tym zawierają więcej żelaza niż stek!

Sałaty rwiemy na nieduże kawałki. Kroimy figi na ćwiartki lub grube plasterki, a cebulę szatkujemy na bardzo cienkie talarki.

Aby wydobyć nasiona z granatów, przecinamy owoce na połowę, a następnie, trzymając połówkę granatu w dłoni nad dużą miską, przeciętą powierzchnią ku dołowi, uderzamy weń od góry wałkiem do ciasta. Nasiona łatwo wypadają i zatrzymują się na dłoni, a sok ścieka do miski. (Warto założyć fartuch, ponieważ sok może pryskać). Postępujemy w ten sposób ze wszystkimi połówkami granatów.

Składniki sałatki przekładamy do miski, delikatnie wstrząsamy, żeby się wymieszały i układamy wszystko na półmisku. Na koniec polewamy sokiem z granatów, który zebrał się w misce.

Spróbuj tego...

Figi i cebulę można przypiec, żeby dodać sałatce nowego charakteru. Świetnie smakuje też ze świeżym kremowym serem albo jako dodatek do dania z dziczyzny lub ryby.
Miłym dodatkiem będzie także garść uprażonych w miodzie lub przyprawionych pikatnie orzechów.

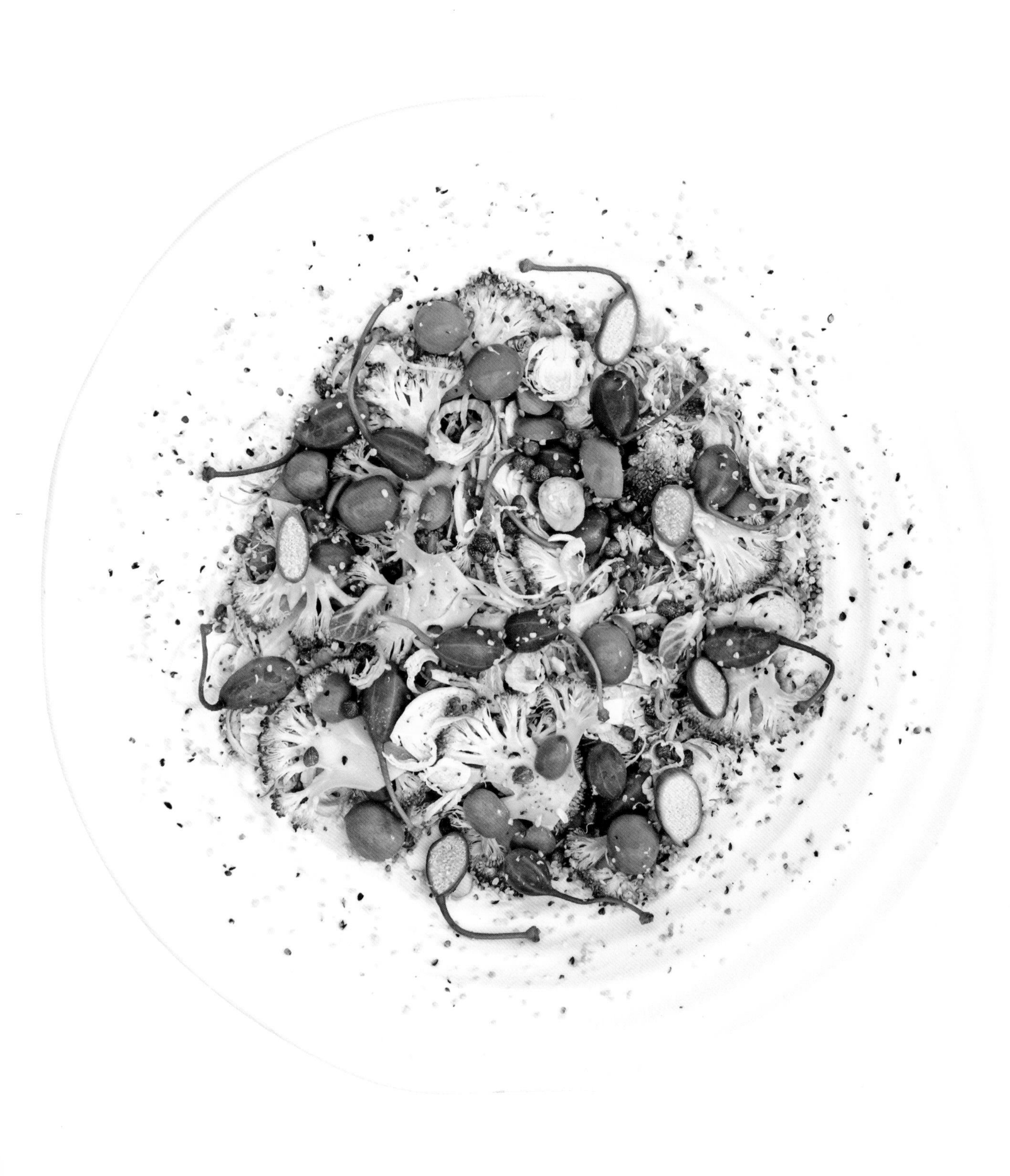

SAŁATKA Z BROKUŁÓW I BRUKSELKI, Z KAPARAMI I OLIWKAMI

Brokuły i brukselka są wspaniałym składnikiem surówek, ponieważ ich chrupiąca, twardawa struktura pozwala na bardzo cienkie pokrojenie, bez utraty chrupkości. Poza tym mają dość neutralny smak, więc doskonale komponują się w tej surówce z intensywnymi w smaku składnikami, jak dymka, kapary i oliwki.

Jeśli nie możemy dostać brukselki, równie dobrze sprawdzi się biała lub zielona kapusta. W końcu brukselka to taka minikapusta.

300 g brukselki
2-3 dymki
1 główka brokułów
100 g zielonych lub czarnych oliwek z zaprawy
70 g kaparów
2 łyżki płynu z oliwek lub kaparów
1 łyżka wyciskanej na zimno oliwy z oliwek
3 łyżki konopi siewnych lub jakichś innych nasion
sól i pieprz do smaku

Dzięki połączeniu dwóch bardzo pożywnych warzyw krzyżowych – brokułów i brukselki – proponowana sałatka dostarczy nam dużych ilości witaminy C i folianów.

Brukselkę kroimy lub szatkujemy na cieniutkie plasterki, dymkę siekamy (razem ze szczypiorem).

Brokuł dzielimy na różyczki, a następnie rozdrabniamy w robocie kuchennym. Możemy też pokroić go na drobne kawałki nożem.

W misce mieszamy razem brokuły, brukselkę i dymkę, dodajemy oliwki i kaparów. Jeśli chcemy, możemy część z tych dodatków posiekać.

Przyrządzamy szybki dressing z płynu z oliwek lub kaparów oraz oliwy z oliwek i odrobiny przypraw. Polewamy nim sałatkę, dobrze mieszamy, a następnie wszystko posypujemy nasionami.

Trochę chrupkości...

Posypanie tej surówki pokruszonym, wędzonym bekonem lub pancettą nada jej dodatkową słoność i chrupkość.
Zewnętrzne listki brukselki wspaniale smakują, gdy się je przysmaży na chrupko. Tak przygotowanym dodatkiem posypujemy surówkę, uzyskując kontrast z cienko poszatkowanymi surowymi brukselkami.

SURÓWKA Z CZERWONEJ KAPUSTY I FALBANEK Z CUKINII

Owoce acai (euterpa warzywna), sprzedawane zwykle w formie sproszkowanej, zalicza się do superżywności. Z proszku można przyrządzić pięknie zabarwiony Dressing z jagód acai (patrz strona 135), idealny do tej surówki, albo można go po prostu posypać po wierzchu, jak ja to tutaj zrobiłam.

Kroję cukinię na duże falbanki, używając do tego jednej z tarcz krajalnicy. Jeśli chcemy, by sałatka była w 100% surowa, można zastąpić melasę z granatów pastą z daktyli lub dowolnym innym słodzikiem.

Acai słyną z wysokiej zawartości przeciwutleniaczy z grupy antocyjanów oraz jako źródło witaminy E, która usuwa wolne rodniki niszczące komórki organizmu.

3 cukinie
½ czerwonej kapusty
3-4 rzodkiewki
Dressing z jagód acai (patrz strona 135)
1 garść mieszanych kiełkujących nasion

Za pomocą krajalnicy kroimy cukinię na falbanki albo „makaron". Można też po prostu zetrzeć ją na tarce.

Kapustę i rzodkiewki cienko szatkujemy. Wszystkie składniki surówki układamy na półmisku lub w misce.

Surówkę polewamy dressingiem z jagód acai. Ma on bardzo ciemny kolor, więc jeśli wymieszamy go z sałatką, nasze danie będzie wyglądać upiornie! Całość tuż przed podaniem posypujemy skiełkowanymi nasionami.

Wersja gotowana...

Kapustę można najpierw udusić, a do sałatki dodać garść posiekanych sułtanek, a także odrobinę pokruszonego, chrupiącego bekonu.

SAŁATKA Z RZODKIEWKI, BURAKÓW I POMARAŃCZY

Jest to pyszna surówka o świeżym smaku, doskonała na zimowe miesiące, kiedy przypada sezon na czerwone pomarańcze. Jeśli zaś, oprócz czerwonych buraków, uda nam się zdobyć też żółte, będzie do tego niezwykle estetyczna i urodziwa.

Gdy pokroimy korzenie buraków, czerwoną cebulę i fenkuł na cieniutkie plasterki, staną się łatwiej strawne i wygodniejsze do jedzenia na surowo. Jeśli nie przepadamy za pikantnym smakiem surowej cebuli, zamarynujmy ją w cytrynowym dressingu przez 30 minut, a znacznie złagodnieje.

3 czerwone pomarańcze
2 czerwone buraki, wyszorowane lub obrane
2 żółte lub złociste buraki, wyszorowane lub obrane
5-6 rzodkiewek
¼ – ½ obranej czerwonej cebuli
1 fenkuł
1 garść jadalnych kwiatów lub ziół do dekoracji

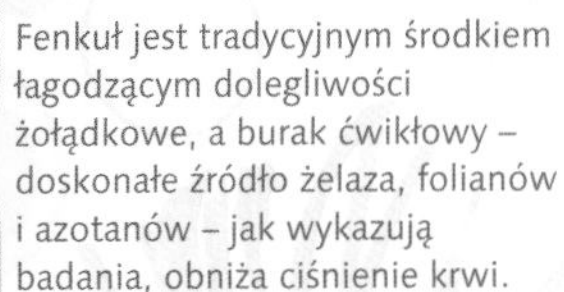

Fenkuł jest tradycyjnym środkiem łagodzącym dolegliwości żołądkowe, a burak ćwikłowy – doskonałe źródło żelaza, folianów i azotanów – jak wykazują badania, obniża ciśnienie krwi.

DRESSING CYTRYNOWY
Drobno starta skórka i sok z 1 cytryny
2 łyżki oliwy z oliwek z pierwszego tłoczenia
sól i pieprz do smaku

Obieramy pomarańcze ze skórki i kroimy miąższ na kawałki. Dobrze jest zrobić to w misce, żeby zebrać wyciekający sok.

Oba rodzaje buraków, rzodkiewki, cebulę i fenkuł szatkujemy na cieniutkie plasterki (doskonale nadaje się do tego szatkownica; można też zrobić to ręcznie, ostrym nożem). Plastry warzyw i kawałki pomarańczy wkładamy do dużej miski.

Trzepaczką mieszamy w misce skórkę i sok z cytryny z oliwą z oliwek. Tak przygotowany dressing przyprawiamy solą i pieprzem. Możemy dolać trochę soku z pomarańczy.

Polewamy surówkę dressingiem i delikatnie mieszamy. Przekładamy na półmisek i tuż przed podaniem posypujemy jadalnymi kwiatami lub ziołami.

Wersja gotowana...

Owinięte w folię buraki pieczemy w nagrzanym piekarniku przez godzinę (do miękkości), studzimy, obieramy ze skórki i kroimy w plasterki. Fenkuł i rzodkiewki także można upiec. Fenkuł kroimy na plastry grubości 1 cm, a rzodkiewki pozostawiamy w całości. Lekko skrapiamy fenkuł i rzodkiewki oliwą z oliwek, przyprawiamy i pieczemy do miękkości przez 25-30 minut. Dodajemy do sałatki, gdy ostygną do temperatury pokojowej.

SAŁATKA Z DYNI ODMIAN LETNICH

Tę urokliwą surówkę, na którą składają się cieniutkie jak papier plasterki cukinii i dyni, z dodatkiem siewek groszku i jadalnych kwiatów, przyprawiamy ziołowym Dressingiem w stylu gremolata (patrz strona 133).

Ja wykorzystałam żółte i zielone cukinie oraz patisony, ale można wziąć dowolną dynię odmian letnich, jeśli są bardzo młode, małe i miękkie, a także nie za bardzo wodniste.

2-3 cukinie, zielone i żółte
2-3 dynie letnie, takie jak patisony
1 garść siewek groszku
Dressing w stylu gremolata (patrz strona 133)
1 garść jadalnych kwiatów do dekoracji

Cukinie są dobrym źródłem potasu i folianów, natomiast siewki groszku dostarczają dużych ilości witamin C i A.

Cukinie i dynie szatkujemy cieniutko na szatkownicy (mandolinie) lub za pomocą obieraczki. Plasterki warzyw przekładamy do miski lub na półmisek, a następnie posypujemy siewkami groszku.

Podajemy przyprawione z wierzchu dressingiem lub serwujemy dressing osobno. Tuż przed podaniem posypujemy wszystko jadalnymi kwiatami.

Na lekki posiłek...

Tę letnią surówkę podajemy z niskobiałkowymi produktami, jak np. twarożek, podgotowany łosoś, pierś kurczaka lub indyka bez skóry, a także edamame (niedojrzałe strąki soi) – doskonale nadaje się dla osób stosujących czystą dietę paleo.

Surówka jest chłodząca i odświeżająca, stanowi więc dobry dodatek do potraw z grilla lub wędzonej ryby.

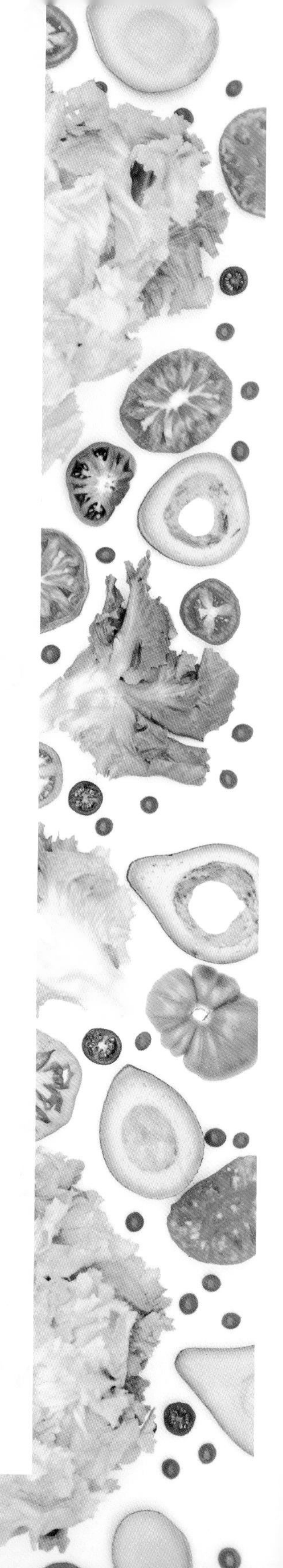

SURÓWKA Z AWOKADO, POMIDORÓW I SAŁATY LIŚCIOWEJ

Awokado, pomidory i sałata liściowa pasują do siebie doskonale, a jeśli awokado jest naprawdę dojrzałe, można je rozdrobnić i przyrządzić dressing typu guacamole.

Najlepiej robić tę surówkę w szczycie sezonu na pomidory, ponieważ wówczas są one najbardziej aromatyczne i wymagają niewielu przypraw z wyjątkiem odrobiny morskiej soli i być może kilku kropel dobrej jakości tłoczonej na zimno oliwy z oliwek.

Uwielbiam mieszać różne odmiany pomidorów, więc do tej sałatki polecam duże bycze serca i maleńkie tomberry.

Pomidory są bogate w likopen, a awokado w witaminę E. Badania wykazały, że te dwa składniki współdziałają ze sobą, zmniejszając uszkodzenia komórek powiązane z takimi chorobami, jak choroby serca i rak.

2-3 awokado
1 duża sałata masłowa
300-400 g mieszanych pomidorów (np. bycze serca i tomberry)
tłoczona na zimno oliwa z oliwek do pokropienia
sól i pieprz do smaku

Awokado przekrawamy na pół i usuwamy pestki, miąższ kroimy w kostkę. Sałatę rwiemy na niewielkie kawałki.

Pomidory kroimy na kawałki lub plasterki, zachowując sok zbierający się na desce do krojenia – wykorzystamy go do polania surówki.

Wszystkie składniki mieszamy w misce, wlewamy zachowany sok z pomidorów, przyprawiamy do smaku solą i pieprzem oraz skrapiamy oliwą z oliwek.

Pomysły na posiłek...

Do tej surówki dobrze pasuje ser kozi, a także każdy inny, byle był miękki, kremowy i lekko solony. Surówka nadaje się też jako wypełniacz do kanapek.

SAŁATKA WALDORF

Jest to jedna z wersji klasycznej letniej surówki – tradycyjny majonez zastąpiłam kremowym Mayo z surowych nerkowców (patrz strona 131).

Użyłam jabłek z czerwoną skórką i pokroiłam nożem z rowkowanym ostrzem, żeby miały ładne, ząbkowane kształty.

1 duża garść bezpestkowych czerwonych winogron
1 duża garść bezpestkowych zielonych winogron
3-4 łodygi selera naciowego
2 czerwone jabłka
1 duża garść połówek orzechów włoskich
mayo z surowych orzechów nerkowca (patrz strona 131)
liście selera, koperek lub pierzaste listki fenkułu do dekoracji

Żelazo i kwasy omega-3 to dwa składniki dość trudne do uzyskania w diecie wegańskiej, ale ta sałatka dostarcza dużych ilości obu z nich, a to dzięki zawartości orzechów włoskich i nerkowców.

Czerwone i zielone winogrona obrywamy i przekrawamy każdy owocek na pół. Łodygi selera kroimy na cienkie plasterki.

Z jabłek usuwamy gniazda nasienne i ogonki, a miąższ kroimy na zapałkę lub w cienkie plasterki.

Winogrona, seler, jabłka i połówki orzechów włoskich wkładamy do dużej miski. Wlewamy połowę mayo z nerkowców i mieszamy wszystko delikatnie, żeby składniki się połączyły.

Posypujemy z wierzchu listkami selera lub koperku/fenkułu. Resztę majonezu podajemy w osobnym naczyniu lub zostawiamy na inny dzień.

Wersja mięsna...

Do tej surówki doskonale pasują takie dodatki, jak anchois, chrupiący bekon czy gotowany bądź pieczony kurczak.

SURÓWKA Z RÓŻOWEJ RZODKWI, BURAKA I ŻÓŁTEJ PAPRYKI

Ta kolorowa, pełna różów i żółci surówka jest chrupiąca, słodka i krucha. Zamiast różowej rzodkwi arbuzowej można wziąć rzodkiewki zwykłe lub podłużne, a burak pasiasty można zastąpić burakiem czerwonym lub żółtym.

Jasnozielone cętki Dressingu ziołowy ogród (patrz strona 131) wyglądają ślicznie wśród kolorów tej sałatki, ale pasuje do niej również Dressing marokański (patrz strona 134), przesycony aromatem marokańskiej mieszanki ras-el-hanout.

2 duże buraki pasiaste, wyszorowane lub obrane ze skórki
1 duża rzodkiew arbuzowa
1 mała żółta cukinia
1 mała zielona cukinia
2 żółte lub pomarańczowe papryki słodkie
Dressing ziołowy ogród (patrz strona 131) lub
Dressing marokański (patrz strona 134)
1 mała garść mieszanych ziół – np. oregano, koperek i listki brązowego fenkułu
1 mała garść jadalnych kwiatów – np. fiołki, ogórecznik i szałwia
sól i pieprz do smaku

Buraki i bogate w potas warzywa składające się na tę sałatkę pomagają utrzymać prawidłowe ciśnienie krwi. A żółta papryka ma ponad dwa razy więcej witaminy C niż pomarańcza, przyczynia się więc do utrzymania w zdrowiu układu odpornościowego.

Buraki, rzodkiew i cukinie kroimy ostrym nożem na cieniutkie plasterki. Papryki oczyszczamy z nasion i kroimy na cienkie pierścienie.

Układamy składniki surówki na półmisku lub w misce i polewamy wybranym sosem. Przyprawiamy solą i pieprzem, a tuż przed podaniem posypujemy świeżymy ziołami i jadalnymi kwiatami.

Doładowanie białkowe...

Tę sałatkę można podać jako dodatek do mięsa z grilla albo smażonej lub wędzonej ryby.

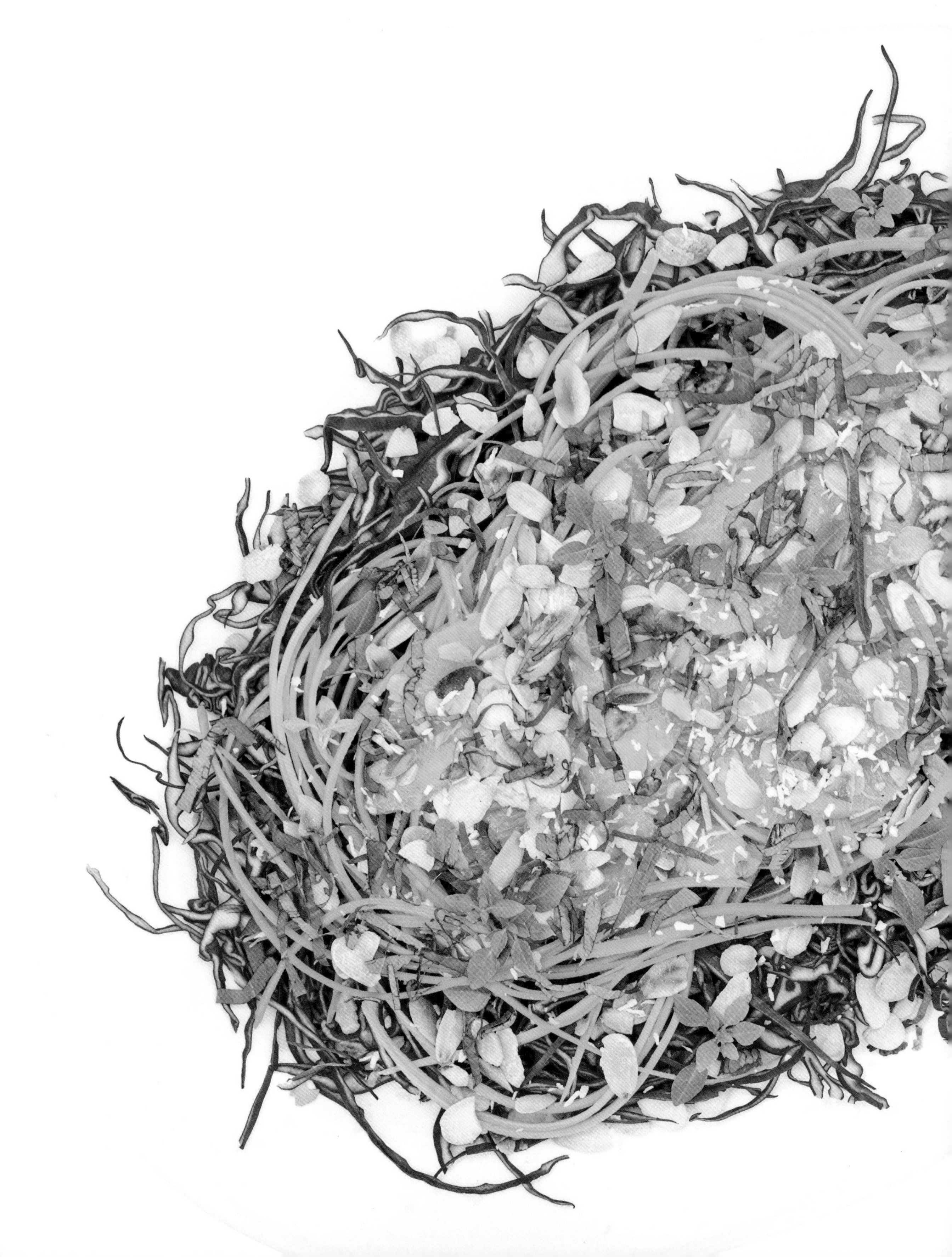

SURÓWKA Z MARCHEWKI, POMARAŃCZY I CZERWONEJ KAPUSTY

Smaki marchwi i pomarańczy w naturalny sposób pasują do siebie, a gdy do obu tych składników doda się czerwoną kapustę, otrzymujemy piękny zestaw kolorystyczny. Nieco podprażyłam płatki migdałowe, dzięki czemu są wyraźnie widoczne na zdjęciu, ale można sałatkę posypać nieprażonymi migdałami. Jeśli przygotowujemy surówkę wcześniej, dodajemy migdały w ostatniej chwili przed podaniem.

Jeśli marchewki są ekologiczne i mają zielone końcówki, kilka marchewkowych listków myjemy, siekamy drobno i posypujemy nimi gotową surówkę.

Ta sałatka dostarcza całodziennej porcji witaminy A! Migdały dodają nieco zdrowego tłuszczu, a także wapnia, magnezu i żelaza.

1 duża czerwona kapusta
3-4 duże marchewki (często mieszam pomarańczowe z fioletowymi), wyszorowane lub obrane ze skórki
3 pomarańcze
100 g płatków migdałowych
1 mała garstka grubo siekanej natki pietruszki lub porwanych listków bazylii

Czerwoną kapustę szatkujemy cienko, marchew ścieramy na tarce lub kroimy na wstążki za pomocą obieraczki do warzyw. Wkładamy wszystko do miski lub układamy na półmisku.

Ścieramy drobno skórkę z pomarańczy, a owoce obieramy i dzielimy na cząstki, usuwając białą błonkę. Jeśli robimy to nad misą z warzywami, sok połączy się za sałatką i spełni funkcję lekkiego dressingu.

Do misy lub na półmisek z warzywami wykładamy cząstki pomarańczy, a całość posypujemy płatkami migdałów i ziołami.

Doładowanie białkowe...

Grillowana ryba, pokrojony w kostkę, marynowany tempeh lub garść gotowanej czarnej fasoli dodadzą sałatce wartościowego białka, a także doskonale razem z nią smakują.

SAŁATKA Z KALAFIORA

W ostatnich latach mamy do czynienia z prawdziwą kalafiorową rewolucją. To skromne warzywo niemal z dnia na dzień stało się kulinarnym przebojem i ulubionym składnikiem wielu restauracyjnych menu. Niska zawartość węglowodanów i delikatny smak kalafiora czyni zeń wspaniały i smaczny zamiennik ryżu, ziemniaków i bogatych w skrobię ziaren. A już szczególnym upodobaniem cieszy się jego magiczna wręcz rola jako ciasta do pizzy.

Grubo krojone plastry kalafiora można smażyć na patelni lub piec w piekarniku – powstają wtedy wspaniałe steki, a pieczone w piekarniku, przyprawione na ostro kalafiorowe różyczki świetnie nadają się na przekąskę lub do dań głównych. Jednak dopiero na surowo kalafior naprawdę prezentuje swoje walory. Starty ręcznie bądź w robocie kuchennym wygląda jak ziarenka ryżu i w tej postaci świetnie nadaje się na podstawę do sałatek. Ma bardzo delikatny, neutralny smak, więc nadaje się do niego mocny dressing taki jak np. Dressing marokański (patrz strona 134) lub Dressing z pastą rose harissa (patrz strona 129).

Do tej sałatki wykorzystałam kalafior fioletowy i zielony kalafior romanesco (hybrydę kalafiora i brokuła), ponieważ lubię połączenia różnych kolorów. Użyłam też trochę surowej okry, żeby dodać surówce chrupkości, oraz kilka jadalnych kwiatów dla urody.

Kalafior jest dobrym źródłem witaminy C i folianów, a także – jako członek rodziny warzyw kapustowatych/krzyżowych – ma ponoć właściwości przeciwrakowe.

1 mały kalafior
1 mały romanesco
4-5 owoców okry
Dressing marokański (patrz strona 134) lub
Dressing z pastą rose harissa (patrz strona 129).
1 garść jadalnych kwiatów do dekoracji

Obcinamy zewnętrzne liście obu kalafiorów, ale małe delikatne listki zostawiamy – zrobimy z nich „ryż" tak jak z różyczek. Rozdzielamy kalafiory na duże różyczki, albo grubo ścieramy, albo drobno siekamy w robocie kuchennym. Uważajmy, żeby nie rozdrabniać w robocie za długo, ponieważ zamiast „ryżu" uzyskamy pastę. Kalafiorowy „ryż" wsypujemy do miski lub na półmisek.

Cieniutko kroimy okrę i posypujemy nią „ryż". Polewamy wszystko wybranym dressingiem i tuż przed podaniem posypujemy jadalnymi kwiatami.

Niskowęglowodanowy zamiennik...

Ta surówka stanowi zdrowy zamiennik normalnego, białego lub brązowego ryżu.

CARPACCIO Z BURAKA ĆWIKŁOWEGO

Zwykle robię tę sałatkę z ciemnego, niemal brunatnego buraka, który – gdy się go cieniutko pokroi – wygląda podobnie jak carpaccio z wołowiny lub salami, ale tym razem nie mogłam się powstrzymać, żeby nie użyć buraka pasiastego.

Jeśli chodzi o warzywa krojone na zapałkę, to użyłam słodkich ziemniaków, różowej chińskiej rzodkwi i żółtej dyni, ale można wykorzystać każde kolorowe warzywa, które łatwo dają się pokroić i zachowują kształt oraz dobrze smakują.

Wspaniale pasuje do tej sałatki Dressing z suszonych na słońcu pomidorów (patrz strona 129), a dla niejaroszy również Dressing z wędzonego bekonu (patrz strona 127).

1 duży burak pasiasty, surowy, wyszorowany lub obrany ze skórki
2 duże różowe rzodkwie chińskie lub 3-4 zwykłe rzodkiewki, bez liści
1-2 żółte dynie letnie wielkości jabłka lub żółte cukinie
2 duże słodkie ziemniaki, obrane ze skórki
tłoczona na zimno oliwa z oliwek lub Dressing z suszonych na słońcu pomidorów (patrz strona 129), lub Dressing z wędzonego bekonu (patrz strona 127)

Ta buraczana sałatka jest bogatym źródłem żelaza, a także może pomóc utrzymać w ryzach ciśnienie krwi.

Kroimy buraka na cieniutkie plasterki, a pozostałe warzywa na długie, cienkie zapałki.

Skrapiamy plastry buraka odrobiną oliwy z oliwek, żeby błyszczały, lub mieszamy wszystko z wybranym dressingiem.

Wypróbujmy też...

Ta sałatka świetnie smakuje posypana tartym parmezanem. Można też podpiec warzywa pokrojone na zapałkę, uzyskując pyszne, chrupiące warzywne chipsy.

„TACO" Z SAŁATY RZYMSKIEJ

Liście sałaty rzymskiej doskonale nadają się na „taco". Przedstawiona tu sałatka stanowi interesujące połączenie smaków i faktur, z łagodnie smakującą, kruchą sałatą, kremowym miąższem awokado i słodką salsą z czerwonej papryki, cierpką nutą limonki oraz chrupiącą posypką z kiełkujących nasion.

Jeśli chcemy podać to danie na wczesny obiad lub wziąć ze sobą na piknik, salsę przewozimy osobno, w szczelnie zakręconym słoiku. Można ją też przyrządzić z wyprzedzeniem i przechować w szczelnym pojemniku w lodówce.

Gdy awokado jest naprawdę dojrzałe, to można je rozgnieść z resztą składników – powstanie wówczas coś w rodzaju pysznego guacamole,

2 sałaty rzymskie
1 garść kiełkujących nasion (ja wzięłam nasiona rzodkwi japońskiej, daikon)
jadalne płatki róż do dekoracji
półksiężyce limonki do podania

SALSA Z AWOKADO I CZERWONEJ PAPRYKI

drobno starta skórka i sok z 2 limonek
2 dojrzałe awokado
1 czerwona papryka
1 mała garść średnio ostrych czerwonych chili lub do smaku, zależnie od tego, jak ostra ma być sałatka
2 dymki ze szczypiorem
1 mała garść mieszanki siekanej zieleniny, np. jak natki pietruszki, mięty, szczypiorku i koperku
sól i pieprz do smaku

Awokado jest świetnym źródłem zdrowych dla serca jednonienasyconych kwasów tłuszczowych, natomiast skiełkowane nasiona dostarczają przeciwutleniaczy, witamin z grupy B i białek.

Przygotowując salsę, najpierw wlewamy do miski sok z limonek. Przekrawamy awokado, usuwamy pestki, a miąższ kroimy w małą kostkę. Przekładamy do miski z sokiem i potrząsamy, żeby się wymieszały – kwaśny sok zapobiegnie czernieniu awokado. Paprykę i chili oczyszczamy z nasion i kroimy w drobną kostkę. Chili można pokroić drobniej. Dymkę kroimy w cienkie plasterki. Wszystkie składniki mieszamy razem, dodając skórkę limonki i zioła. Przyprawiamy solą i pieprzem do smaku.

Delikatnie oddzielamy liście sałaty little gem, a następnie myjemy je i osuszamy.

Tuż przed podaniem na każdy listek kładziemy łyżkę stołową salsy z awokado i papryki, i posypujemy kilkoma kiełkami.

Tak napełnione liście układamy na półmisku, posypujemy pachnącymi płatkami jadalnej róży, żeby nadać całości klimat lata i podajemy z dodatkowymi półksiężycami limonki do wyciśnięcia.

Doładowanie białkowe...

Do sałatki można dodać marynowane tofu lub tempeh, pokrojone w drobną kostkę, a także kawałki tuńczyka lub grillowanej makreli.

SAŁATKA W STYLU BLISKOWSCHODNIM

Jednym z moich ulubionych warzyw letnich jest burak pasiasty. Uwielbiam jego prześliczne różowe i białe paski i słodki, łagodny smak. Nie jest on tak soczysty, jak burak ćwikłowy (dlatego o wiele łatwiej go przyrządzić na surowo), a jego smak przypomina mi skrzyżowanie buraka z rzodkiewką. Jeśli buraki te nie są dostępne w naszej okolicy, można je zastąpić rzodkwią lub czerwonymi lub złocistymi burakami ćwikłowymi (surowymi).

Lubię podawać tę sałatkę z aromatycznym Dressingiem marokańskim (patrz strona 134), posypaną wonnymi płatkami róż.

2 kruche sałaty, np. rzymskie
2-3 surowe buraki pasiaste lub surowe czerwone i złociste buraki ćwikłowe, wyszorowane lub obrane ze skórki
1 garść orzechów pistacjowych bez skorupek
1 garść nasion granatu
Dressing marokański (patrz strona 134)
przyprawa ras-el-hanout i świeże jadalne płatki róż do dekoracji

Pistacje i nasiona granatów wzbogacają tę sałatkę o składniki odżywcze, ponieważ są dobrym źródłem przeciwutleniaczy, witamin C i E, błonnika oraz potasu.

Liście sałaty rwiemy na kawałki na jeden kęs.

Buraki kroimy bardzo cienko – na szatkownicy lub za pomocą obieraczki; można też pokroić ostrym nożem. Pistacje grubo siekamy i łączymy z pozostałymi składnikami sałatki w dużej misie.

Sałatkę polewamy Dressingiem marokańskim i posypujemy odrobiną przyprawy ras-el-hanout oraz dekorujemy płatkami róż.

Spróbujmy tego...

Można podać tę sałatkę, posypaną po wierzchu pokruszonym serem feta lub serem kozim. Tak wzbogacone danie będzie doskonałym dodatkiem do grillowanego mięsa. Dressing można wykorzystać do polania sałatki z kuskusem lub półmiska pieczonych warzyw.

CHRUPIĄCA SAŁATKA Z MARCHEWKI I BURAKÓW

Mayo z surowych nerkowców (patrz strona 131) nadaje tej sałatce bogatą tłustość i kremowość, natomiast dzięki orzechom laskowym zyskuje ona przyjemny, słonawy smak. Ja podprażyłam orzechy (przed ich posiekaniem), żeby widać je było na zdjęciu, ale jeśli chcemy, żeby sałatka była w całości surowa, pozostawmy je nieuprażone.

Ta sałatka jest pełna chroniących komórki przeciwutleniaczy, witamin (A, C i E), a także zawiera dużo chroniącego przed anemią żelaza, którego bogatym źródłem są nerkowce.

3-4 sałaty little gem lub 1 duża sałata rzymska
2-3 duże marchewki, wyszorowane lub obrane
150 g orzechów włoskich
½ porcji mayo z surowych nerkowców (patrz strona 131)
1 mała garść mieszanki siekanej zieleniny, może być mięta, bazylia i natka pietruszki

Liście sałaty rwiemy na kawałki na jeden kęs i wsypujemy do dużej misy lub kładziemy na półmisku.

Marchew i buraki szatkujemy bardzo cieniutko (idealnie nadaje się do tego szatkownica/mandolina) i kruszymy bądź siekamy orzechy.

Do sałaty dokładamy marchew i buraki, a z wierzchu polewamy mayo. Mieszamy wszystko delikatnie, a następnie, tuż przed podaniem, posypujemy orzechami i zieleniną.

Posypmy wszystko...

kilkoma wiórkami parmezanu lub odrobiną serka ricotta.

MNISZEK, NATKA PIETRUSZKI I BERGAMOTKA

Mniszek i inne dziko rosnące jadalne rośliny są pełne składników odżywczych – pamiętajmy tylko, żeby zrywać je w miejscach, w których nie są narażone na skażenia spalinami samochodów i pestycydami z pobliskich pól. Przed jedzeniem trzeba je też dokładnie umyć.

Jeśli mamy miejsce w ogrodzie, warto uprawiać w nim trochę mniszka, żeby mieć gotowy składnik rozmaitych sałatek i surówek. Smakuje naprawdę wyśmienicie, jeśli uprawia się go w ciemności, np. pod doniczką – listki są wtedy bledsze i mniej gorzkie.

Do ciemnych zielenin doskonale pasują cytrusy, ponieważ zawarte w cytrusach witaminy wzmagają przyswajanie żelaza z zielenin. Ja wykorzystałam pomarańczę bergamotę – ma ona przeróżne zastosowania, głównie z uwagi na niezwykły aromat. Jeśli można je dostać w naszej okolicy, warto je kupić już choćby po to, żeby poczuć ten piękny zapach, gdy je kroimy.

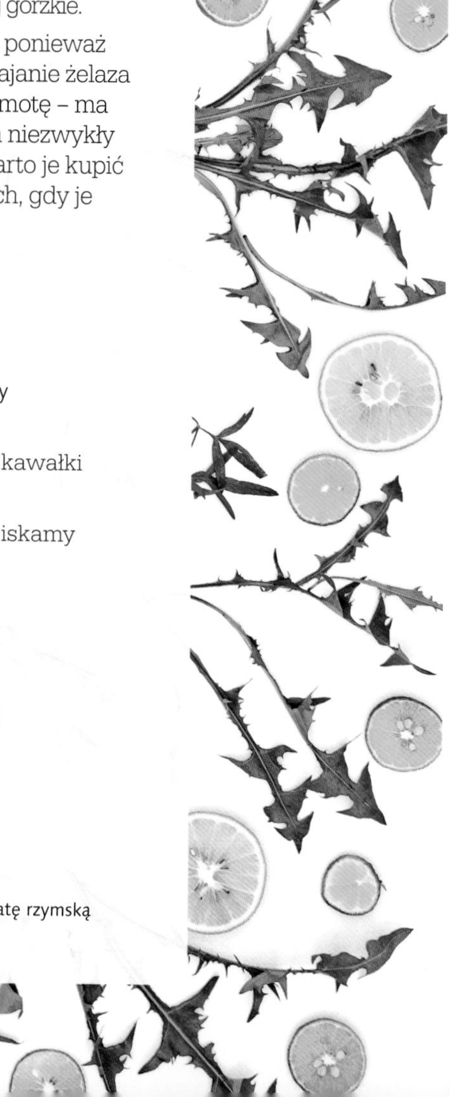

Natka pietruszki zawiera ponad dwa razy więcej żelaza niż czerwone mięso i ponad trzy razy więcej witaminy C niż pomarańcze.

2-3 duże garście liści mniszka lekarskiego lub innych zielonych liści sałatkowych
3-4 duże pęczki zwykłej natki pietruszki
sok z 2 bergamotek lub zwykłych pomarańczy

Siekamy liście mniszka lub rwiemy je na małe kawałki i obrywamy listki pietruszki z łodyżek.

Pietruszkę i mniszka wkładamy do misy i wyciskamy na nie sok z bergamotek.

Nieco treściwiej...

Jeśli chcemy, żeby sałatka była bardziej treściwa, dodajmy sałatę rzymską i ewentualnie trochę mango lub awokado.

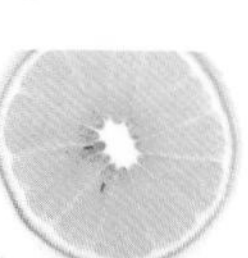

SAŁATKA Z JARMUŻU I RZODKIEWEK Z DRESSINGIEM Z CZARNYCH JAGÓD

Do tej sałatki wykorzystałam biały jarmuż, ponieważ jest bardzo dekoracyjny, ale normalna, zielona odmiana jest równie dobra, choć może trochę intensywniejsza w smaku. Rzodkiew arbuzowa stanowi dekoracyjny kontrast, a mocny fiolet dressingu z czarnych jagód i nerkowców dodaje surówce dramatycznego wykończenia. Dressing ten jest też prawdziwą bombą odżywczą. Jego słodycz i kremowa konsystencja kontrastują również z lekką goryczką jarmużu.

Badania wykazały, że czarne jagody pomagają rozluźnić ściany naczyń krwionośnych co zmniejsza ryzyko stwardnienia rozsianego. Nerkowce są natomiast doskonałym źródłem żelaza – szczególnie użytecznego dla wegan i wegetarian.

300 g czarnych jagód
100 g orzechów nerkowca
2 duże pęczki jarmużu
3-4 rzodkwie arbuzowe lub zwykłe rzodkiewki
sól i pieprz do smaku

Blenderem na dużych obrotach tak długo miksujemy połowę jagód, orzechy nerkowca z przyprawami oraz 100 ml wody, aż mieszanina zrobi się gładka i nabierze kremowej konsystencji. Może trzeba będzie dodać jeszcze trochę wody, żeby dressing stał się bardziej płynny. Gotowy dressing odstawiamy na bok.

Liście jarmużu obrywamy i bardzo drobno siekamy.

Rzodkiew szatkujemy na bardzo cienkie plasterki, po czym razem z jarmużem przekładamy do misy.

Polewamy wszystko dressingiem z jagód i nerkowców, a na wierzchu rozsypujemy resztę jagód.

Pieczemy, posypujemy, wyciskamy...

Rzodkwie można zapiec w całości, aż będą miękkie. Uzyskamy w ten sposób przyjemny kontrast ze sprężystą krzepkością jarmużu. Zamiast skrapiać sałatkę dressingiem, możemy posypać ją pokruszonym bekonem lub niebieskim serem pleśniowym.

Łodyg jarmużu nie wyrzucamy, ale wyciskamy z nich sok do picia.

SAŁATKA Z EDAMAME

Edamame to niedojrzałe strączki soji, zerwane tuż przed tym, zanim zaczną twardnieć, więc są delikatne, miękkie i świeże, podobne nieco do młodego bobu. Stanowią znakomite źródło białka i zaliczają się do dostępnej przez okrągły rok superżywności, szczególnie wartościowej w diecie wegańskiej.

Połączyłam je z posypanym makiem awokado i podkładem z pokrojonej na zapałkę marchwi (w kolorach fioletowym, pomarańczowym i żółtym).

Do tej sałatki pasuje każdy dressing cytrusowy lub kremowy, a także Dressing rose harissa (patrz strona 129).

3-4 duże marchewki, wyszorowane lub obrane ze skórki
1-2 dojrzałe awokado
2 łyżki maku
300 g obranych ze strąków edamame
wybrany dressing

Trudno nie kochać edamame – te drobne fasolki stanowią kompletne źródło białek, a także zdrowych, powoli przyswajalnych węglowodanów i błonnika. W połączeniu z warzywami bogatymi w witaminy składają się na surówkę, która sama w sobie stanowi kompletny, zrównoważony posiłek.

Marchew kroimy na cienką zapałkę (nie ma potrzeby jej obierać, jeśli jest ekologiczna), używając do tego szatkownicy lub specjalnej obieraczki do julienne. Można ją też zetrzeć na grubej tarce – smakuje tak samo dobrze. Wkładamy do misy.

Usuwamy pestki z awokado, a miąższ kroimy na duże kęsy. Przekładamy do misy i posypujemy makiem.

Wykładamy awokado i edamame na wierzch marchewki, polewamy wybranym dressingiem i dobrze mieszamy, żeby składniki się połączyły.

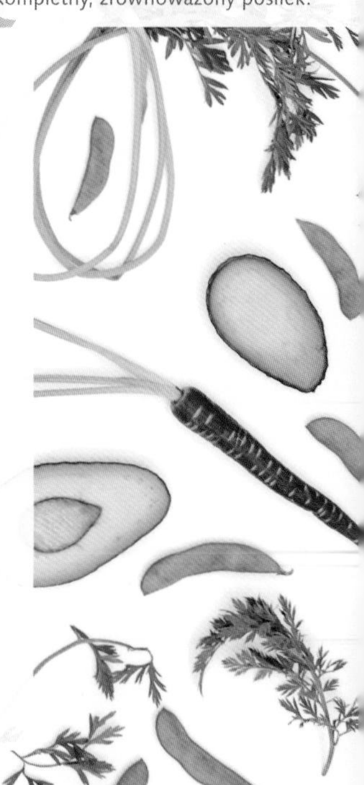

Doładowanie białkowe...

Do tej sałatki doskonale pasuje podsmażony, podduszony lub grillowany łosoś. Jarosze mogą wyłożyć na wierzch tej sałatki gotowane lub lekko podsmażone jajka.

SAŁATKA Z POMIDORÓW I ZIELENINY

Jest to pyszna sałatka, którą przygotowuję latem, gdy w ogrodzie jest mnóstwo dojrzałych pomidorów i ogrodowych ziół. Lubię przyprawiać ją skromnie, odrobiną oliwy i sokiem wyciśniętym na świeżo z cytryny.

Składniki tej sałatki są raczej delikatne, więc skrapiamy ją tylko prostym dressingiem: najpierw kładziemy w misie warstwę krojonych pomidorów i trochę zieleniny, a następnie skrapiamy wszystko odrobiną oliwy z oliwek i wyciskamy sok z cytryny lub limonki oraz posypujemy przyprawami. Układamy w ten sposób kilka warstw.

Aby surówka ta była nieco bardziej treściwa i bogata w składniki odżywcze, można dorzucić kilka garści siekanych młodych liści kapusty liściowej/jarmużu i plasterki ogórka. Ja żłobię w skórce ogórka rowki, dzięki czemu plasterki zyskują śliczny, karbowany brzeg.

Jeśli wolimy bardziej konkretny dressing, do tej sałatki doskonale pasuje Pesto z pistacji (patrz strona 132).

400-500 g dojrzałych pomidorów
200 g listków sałaty baby green
1 duża garść rozmaitej siekanej zieleniny, jak np. natka pietruszki, koperek i szczypiorek
1 łyżka tłoczonej na zimno oliwy z oliwek
1 cytryna lub limonka
sól i pieprz do smaku

Ta surówka dostarcza mnóstwa zdrowego likopenu (z pomidorów), a oliwa z oliwek pomaga w przyswajaniu tego rozpuszczalnego w tłuszczach przeciwutleniacza.

Pomidory kroimy grubo, a wszystkie duże liście sałaty rwiemy na kawałki na jeden kęs.

Układamy w misie warstwy pomidorów i sałaty, skrapiając każdą warstwę oliwą i sokiem z cytryny oraz przyprawiamy odrobiną soli i pieprzu do smaku.

Doładowanie białkowe...

Sałatkę tę można podać z gotowaną białą rybą lub pieczonym tuńczykiem. Wspaniałym dodatkiem są też suszone na słońcu pomidory, pieczona papryka, ser ricotta, mozzarella lub podobna do mozzarelli burrata.

SAŁATKA Z CYKORII LIŚCIOWEJ I PIKLOWANYCH WINOGRON

Do tej sałatki użyłam różnych rodzajów cykorii. Piękny, ciemnoczerwony kolor rossa di verona i szpiczaste liście trevisio kontrastują z kremową i bladoróżowo kropkowaną castelfranco. Kruche, gorzkawe liście dobrze się komponują z ostrym pomarańczowym winegret i pikantną słodyczą piklowanych winogron.

Ta sałatka dostarcza mnóstwa wspomagającej odporność witaminy C i pewnej ilości błonnika. Gorzkawe liście cykorii są zaś dobrym źródłem folianów i przeciwutleniaczy.

2 garście małych czarnych winogron bezpestkowych
3 różne cykorie liściowe
2 łyżki tłoczonej na zimno oliwy z oliwek
sól i pieprz do smaku

MARYNATA
drobno starta skórka i sok z 1 pomarańczy
2 łyżki octu jabłkowego
1 łyżka pasty z daktyli albo innego słodzika
2 anyżki gwiaździste
szczypta nasion fenkułu
szczypta płatków czerwonej chili
1 łyżeczka soli

Składniki marynaty (z wyjątkiem skórki pomarańczowej) mieszamy w misce z 3 łyżkami stołowymi wody, aż się dobrze połączą.

Wkładamy winogrona do marynaty i pozostawiamy na 30 minut w temperaturze pokojowej albo na całą noc w lodówce.

Rwiemy cykorię na kawałki na jeden kęs i przekładamy do misy, w której zostaną podane. Wyjmujemy winogrona z marynaty (płyn zachowujemy) i rozsypujemy na cykorii.

Wlewamy do miski 2-3 łyżki marynaty i oliwę z oliwek, wsypujemy skórkę z pomarańczy i dobrze mieszamy, aż składniki się połączą. Przyprawiamy do smaku i tak uzyskanym dressingiem polewamy surówkę.

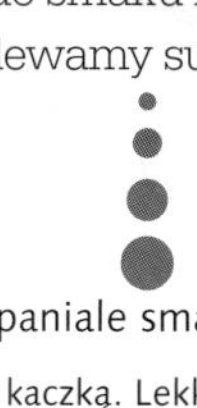

Wspaniale smakuje z...

Można podać z pieczoną kaczką. Lekka goryczka cykorii plus słodycz pomarańczowego dressingu oraz pikantny smak piklowanych winogron świetnie dopełnia tłustawy smak mięsa. Surówka ta świetnie smakuje, posypana pikantnymi, karmelizowanymi orzechami, pokruszonym niebieskim serem pleśniowym lub z jajkami w koszulkach.

SAŁATKA Z KOLOROWYCH BURAKÓW LIŚCIOWYCH I CZARNEJ RZODKWI

Ta sałatka wygląda bardzo po męsku – jeśli w ogóle można tak powiedzieć! Mocne, ciemne kolory buraków kontrastują z jaskrawo białym miąższem rzodkwi o czarnej skórce (okrągłej lub podłużnej), natomiast ognisty dodatek Dressingu z imbiru i wasabi (patrz strona 134) czyni z niej danie „z charakterem".

2 pęczki kolorowej boćwiny
1 duża czarna rzodkiew
Dressing z imbiru i wasabi (patrz strona 134)

Boćwina dostarcza witaminy A i magnezu – minerału, który odgrywa ważną rolę w redukcji zmęczenia i znużenia.

Odrywamy liściowe części boćwiny od łodyg. Układamy je jedną na drugiej, a następnie zwijamy wzdłuż w kształt cygara i kroimy w cienkie plasterki. Uzyskamy coś w rodzaju szyfonady. Pokrojone liście przekładamy do misy, rozdzielając poszczególne paski.

Czarną rzodkiew kroimy na zapałkę – najpierw kroimy cienkie plasterki, a następnie układamy je jeden na drugim i kroimy w cienkie słupki. Rozsypujemy je po wierzchu buraczanych liści.

Tuż przed podaniem polewamy wszystko dressingiem z imbiru i wasabi.

Dodatki dla każdego...

Do tej sałatki dobrze pasuje mięso z grilla lub pieczona wołowina, natomiast dla jaroszy świetnym dodatkiem do tej surówki będzie jarski burger.

SAŁATKA Z UGNIATANEGO JARMUŻU Z POMARAŃCZĄ I ŻURAWINĄ

„Wmasowując" dressing w liście jarmużu ułatwiamy rozpad twardych włókien, które dzięki temu stają się miękkie i jedwabiste. Do lekko gorzkawego smaku tej toskańskiej odmiany doskonale pasuje słodki dressing z pomarańczy.

Połączyłam jarmuż z odrobiną drobno siekanej białej kapusty, żeby sałatka była chrupiąca, oraz z pomarańczami i suszoną żurawiną, które dodały jej słodyczy. Kilka cienko pokrojonych świeżych żurawin nadaje jej też ciekawą fakturę i delikatną cierpkość.

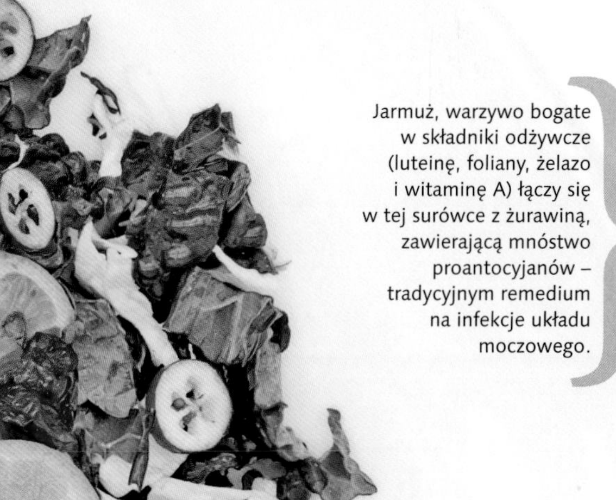

Jarmuż, warzywo bogate w składniki odżywcze (luteinę, foliany, żelazo i witaminę A) łączy się w tej surówce z żurawiną, zawierającą mnóstwo proantocyjanów – tradycyjnym remedium na infekcje układu moczowego.

3 duże pomarańcze
2-3 łyżki tłoczonej na zimno oliwy z oliwek
1 duży pęczek jarmużu lacinato (cavolo nero)
100 g świeżych żurawin
50 g suszonych żurawin
sól i pieprz do smaku

Drobno ścieramy skórkę z pomarańczy, a owoce obieramy ze skórki i dzielimy na cząstki, odrzucając białą błonkę. Najlepiej robić to nad miską, żeby zachować ściekający sok. Przygotowujemy dressing, mieszając trzepaczką 1-2 łyżki stołowe soku z pomarańczy ze skórką, oliwą z oliwek i odrobiną przypraw.

Liściaste części jarmużu odrywamy od łodyg i usuwamy wszelkie grubsze „nerwy". Rozrywamy liście na kawałki 2,5-5 cm i przekładamy do dużej miski.

Polewamy je dressingiem i ugniatając wszystko rękami „wmasowujemy" dressing w liście – trochę to potrwa, zanim będą gotowe, ale stopniowo zaczną mięknąć i robić się bardziej elastyczne. Kończymy, gdy staną się jedwabiste. Świeże żurawiny kroimy na cienkie plasterki, a suszone grubo siekamy. Jedne i drugie dodajemy do jarmużu, razem z cząstkami pomarańczy.

Pozostawiamy na 30 minut lub nawet na noc w lodówce, żeby smaki się przemieszały i wzmocniły. Przed podaniem ponownie mieszamy, żeby rozprowadzić cały sok, który zebrał się na dnie misy.

Doładowanie białkowe...

Do goryczki jarmużu oraz słodko-kwaśnego smaku pomarańczy i żurawin dobrze pasują zdecydowane w smaku produkty białkowe, takie jak pieczony łosoś lub jajka w koszulkach.

SAŁATKA Z „MAKARONU" Z CUKINII I OLIWEK

Uwielbiam różne odcienie zieleni w tej sałatce, a jeśli lubimy oliwki i kapary, to zrobiony z nich dressing jest prawdziwym rarytasem.

Intensywny smak dressingu dobrze się komponuje z neutralną smakowo cukinią, a posypka z tartego kalafiora na wierzchu tej surówki wygląda jak tarty parmezan i nadaje całości przyjemną fakturę.

3-4 duże cukinie
100-150 g zielonych oliwek w zalewie
50 g kaparów w zalewie
drobno starta skórka i sok z 1 cytryny
1 garść mieszanej siekanej zieleniny, jak np. bazylia, koperek, mięta i natka pietruszki
1 obrany ząbek czosnku
2 łyżki stołowe tłoczonej na zimno oliwy z oliwek
1 duża różyczka kalafiora

Ta sałatka dostarcza dużej ilości potasu, folianów oraz trochę zdrowych tłuszczów.

Za pomocą specjalnej obieraczki lub krajalnicy kroimy cukinie na długie cienkie nitki i odkładamy na bok.

Połowę oliwek i połowę kaparów siekamy grubo nożem (usuwamy pestki z oliwek, jeśli je mają) i odkładamy.

Przyrządzamy dressing. Resztę oliwek i kaparów przesypujemy do pojemnika robota kuchennego, dodajemy zieleninę, sok i skórkę z cytryny oraz czosnek. Krótko miksujemy, wlewając po odrobinie oliwę z oliwek, aż powstanie gęsty sos.

„Makaron" z cukinii przekładamy od miski i polewamy dressingiem. Mieszamy wszystko delikatnie. Posypujemy siekanymi oliwkami i kaparami, a na wierzch ścieramy śnieżnobiały kalafior.

Warto wypróbować...

Do tej sałatki doskonale pasują anchois i parmezan. W wersji jarskiej można ją posypać płatkami drożdży. Dressing wspaniale sprawdzi się też jako sos do zwykłego makaronu, a sama surówka świetnie smakuje z grillowanym mięsem.

SAŁATKA Z ENDYWII I FIG

Słodycz fig i owoców hurmy (persymona, szaron) równoważą goryczkę endywii stanowiącej podstawę tej surówki.

Jeśli można, poczekajmy, aż hurma całkowicie dojrzeje, ponieważ wówczas staje się niemal całkiem innym owocem, niż w wersji niedojrzałej. Trzeba trochę prób i błędów, zanim uda nam się uchwycić właściwy moment, ponieważ skórka hurmy powinna stać się niemal brązowa i może się wydawać, że owoce zaczynają już gnić, ale właśnie wówczas ich miąższ z miękkiego i łagodnie słodkiego staje się niemal galaretkowaty i nabiera głęboko karmelowego smaku oraz niezwykłego, niemal perfumowego aromatu.

Jeśli hurma nie jest w pełni dojrzała, trzeba zwilżyć sałatkę dressingiem. Dobrze pasują do niej Dressing cytrusowo-buraczany (patrz strona 128) i Winegret ze słodką wędzoną papryką (patrz strona 127).

1 duża endywia
2 duże marchewki (ja użyłam fioletowych), wyszorowane lub obrane ze skórki
4 dojrzałe, świeże figi
3 owoce hurmy
Dressing cytrusowo-buraczany (patrz strona 128) lub Winegret ze słodką wędzoną papryką (patrz strona 127) (niekoniecznie)
75 g orzechów włoskich

Ta przepyszna sałatka dostarczy nam dużych ilości żelaza, wapnia i witaminy A z fig i marchewek. Natomiast orzechy włoskie są bogatym źródłem zdrowych dla serca kwasów omega-3.

Liście endywii rozrywamy na niewielkie kawałki, a marchew ścieramy na tarce lub szatkujemy na cieniutkie plasterki (nie trzeba jej obierać, jeśli jest ekologiczna).

Figi kroimy na plasterki, a owoce hurmy – jeśli nie są całkiem dojrzałe – na kawałki. Całkowicie dojrzałe przekrawamy na pół i wydobywamy z nich miąższ łyżeczką.

Łączymy składniki z wybranym dressingiem (jeśli zdecydowaliśmy się go użyć), a następnie posypujemy siekanymi orzechami.

Warto wypróbować...

Słodycz fig i hurmy, w połączeniu z goryczką orzechów i endywii doskonale harmonizuje ze smakiem niebieskiego sera pleśniowego, pieczonego tuńczyka, szynki parmeńskiej lub chrupiącej, przysmażonej pancetty.

SAŁATKA Z CUKINII I BURAKA PASIASTEGO

Jak już pewnie dało się do tej pory zauważyć po przepisach w tej książce, mam coś w rodzaju obsesji na punkcie buraka pasiastego! Jest to stara, tradycyjna odmiana o nazwie chioggia, znacznie mniej soczysta od odmian czerwonych – coś w rodzaju skrzyżowania buraka ćwikłowego z rzodkiewką. Uwielbiam jego zwariowane, psychodeliczne paski w białym i różowym kolorze, ponieważ pięknie wyglądają w każdej surówce, czy to krojone w cieniutkie, okrągłe plasterki po obwodzie (paski układają się wówczas w pierścienie), czy też niejako w poprzek (wzór pasków jest wówczas zupełnie inny). Można je też kroić na zapałkę lub w karbowane słupki, jak to zrobiłam na potrzeby surówki.

Proponowana sałatka świetnie smakuje z Kremowym dressingiem z kurkumą (patrz strona 135), ale można też dodać Dressing z arachidowym sosem satay (patrz strona 134) lub Dressing cytrusowo-imbirowy (patrz strona 128).

3 małe sałaty little gem albo 1 duża sałata rzymska
3-4 cukinie
2 duże buraki pasiaste, wyszorowane lub obrane ze skórki
Kremowy dressing z kurkumą (patrz strona 135)

Cukinie są dobrym źródłem potasu – istotnego składnika, pozwalającego utrzymać prawidłowe ciśnienie krwi.

Sałatę little gem lub rzymską rwiemy na małe kawałki i przekładamy do miski.

Cukinię kroimy na cienkie nitki za pomocą specjalnej obieraczki lub ścieramy na grubej tarce ręcznej. Można też wykorzystać krajalnicę.

Buraki kroimy na zapałkę lub – za pomocą nożna z karbowanym ostrzem – w cienkie karbowane słupki.

Składniki surówki układamy na półmisku i polewamy kremowym dressingiem z kurkumą.

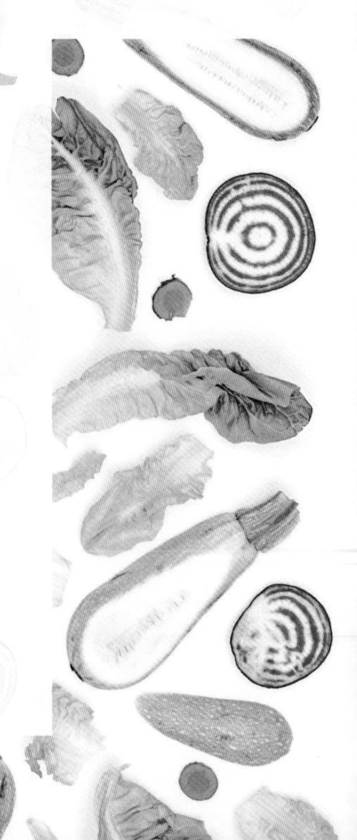

Wersja bogatsza w węglowodany i białka...

Ilość węglowodanów w tej sałatce zwiększymy, dodając kilka garści gotowanej komosy ryżowej (quinoa) lub freekeh (płatków z zielonej prażonej pszenicy), natomiast białka dostarczy krojony w małą kostkę twardy wędzony ser lub kawałeczki gotowanego kurczaka.

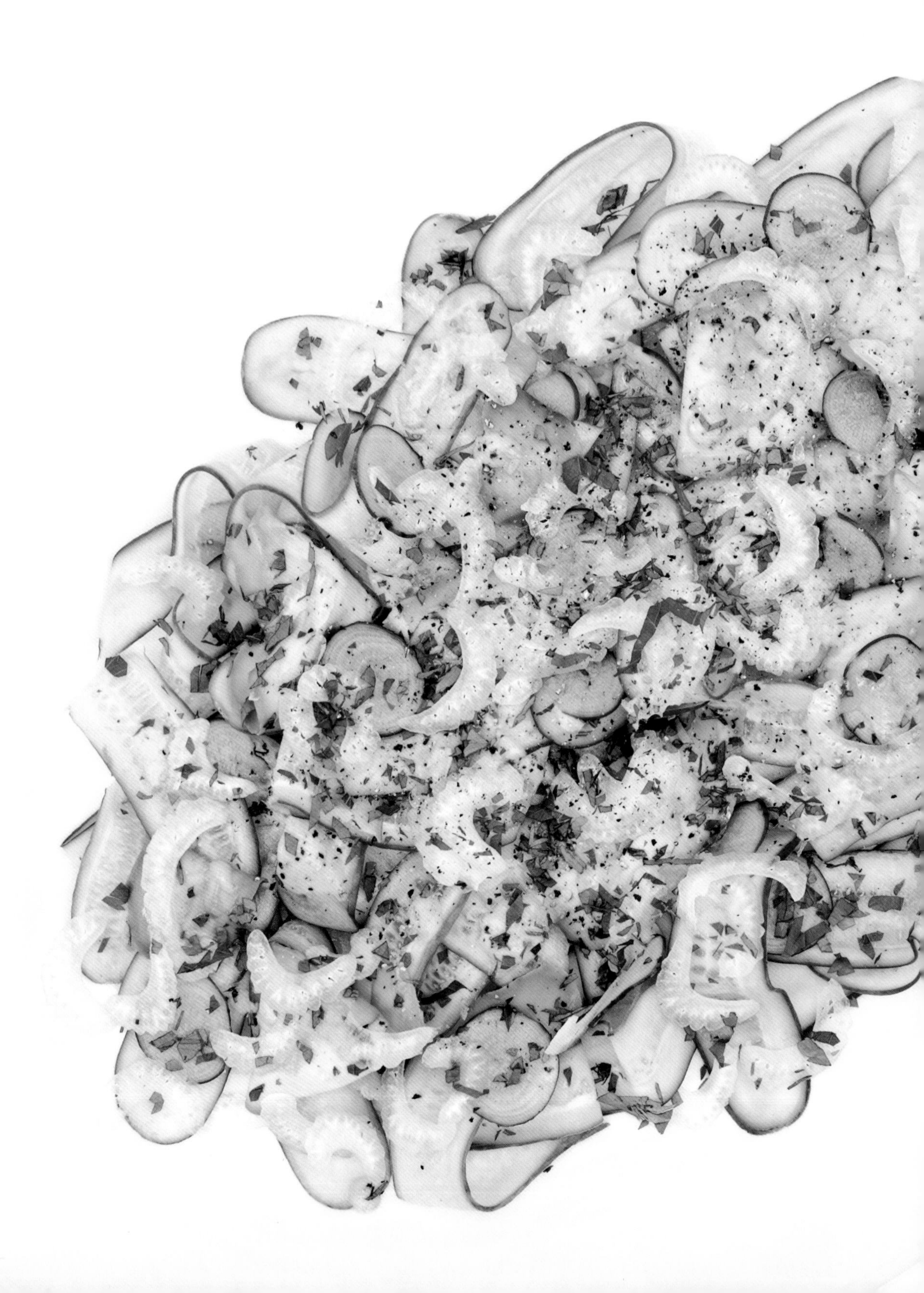

SAŁATKA Z „MAKARONU" Z OGÓRKA Z SUROWYM KREMEM SZAFRANOWYM

Ten ogórkowy przezroczysty „makaron"„ wspaniale odświeża, zwaszcza podany w letni dzień z kremem szafranowym.

2 duże ogórki
3-4 łodygi selera naciowego, bez liści
1 mały żółty burak, wyszorowany lub obrany ze skórki
1 mała garść siekanej natki pietruszki lub innej miękkolistnej zieleniny
pieprz do smaku

Orzechy w tym dressingu są wspaniałym źródłem niezbędnych kwasów tłuszczowych, w tym kwasów jednonienasyconych, które obniżają cholesterol.

SUROWY KREM SZAFRANOWY
½ łyżeczki do herbaty sproszkowanego szafranu
100 g orzechów nerkowca lub makadamia
¼ ząbka czosnku
1 dymka (bez szczypioru)
½–1 łyżeczka pasty daktylowej lub innego słodzika
szczypta mielonej papryki

Ogórki szatkujemy wzdłuż na długie, cienkie wstążki (na szatkownicy lub ostrym nożem), a selera i buraka kroimy w cieniutkie plasterki. Przekładamy na półmisek lub do misy.

Aby przygotować krem szafranowy, wszystkie składniki przekładamy do blendera, dolewamy 150 ml wody i miksujemy na dużych obrotach na gładką, lejącą się masę. Jeśli trzeba, dolewamy jeszcze odrobinę wody. (Jeśli mamy czas, moczymy orzechy przez ok. 8 godzin lub nawet przez noc, żeby zmiękły przed rozdrobnieniem).

Surówkę polewamy szafranowym kremem, posypujemy siekaną natką i świeżo zmielonym pieprzem.

Doskonałe dodatki...

Pyszna sałatka – świetnie pasuje do wszelkich, delikatnych w smaku owoców morza, takich jak peruwiańska sałatka ceviche lub pieczone przegrzebki albo jako odświeżający dodatek do dań w stylu chińskim i azjatyckim.

SAŁATKA ZE SŁODKICH ZIEMNIAKÓW I GROSZKU

Surowe słodkie ziemniaki są moim niedawnym odkryciem, ale odkąd przekonałam się, jak pysznie smakują, gdy się je cieniutko poszatkuje, stale dodaję je do surówek. Są mało soczyste, więc dobrze absorbują dowolny dressing i świetnie komponują się z bardziej soczystymi składnikami, takimi jak groszek i szparagi z tego przepisu – zarówno pod względem kontrastu kolorystycznego, jak i faktury oraz smaku.

Można użyć do tej surówki słodko-kwaśnego dressingu, jak np. Dressing z chili i cytryny (patrz strona 129) lub Dressing z syropu klonowego, cytryny i imbiru (patrz strona 128).

4 duże słodkie ziemniaki
1 czarna rzodkiew lub 4-5 zwykłych rzodkiewek, bez liści
6-7 szparagów, bez zdrewniałych końców
200 g zielonego groszku, świeżego lub rozmrożonego
1 mała garść mieszanej siekanej zieleniny, jak np. mięta, szczypiorek, natka pietruszki i bazylia
Dressing z chili i cytryny (patrz strona 129) lub Dressing z syropu klonowego, cytryny i imbiru (patrz strona 128).

Szparagi są doskonałym źródłem folianów, niezbędnych podczas podziału komórek i tworzenia krwinek. Są też bardzo ważnym składnikiem odżywczym podczas ciąży.

Ziemniaki dobrze szorujemy lub obieramy, jeśli nie chcemy ich jeść ze skórką. na Szatkujemy na cienkie plasterki (albo ścieramy na grubej tarce).

Czarną rzodkiew kroimy na zapałkę, a szparagi na małe krążki w poprzek łodyg.

Łączymy wszystkie składniki w misce i mieszamy z wybranym dressingiem.

Warto wypróbować...

Skomponujmy lekki posiłek, podając do tej surówki owoce morza w stylu peruwiańskiej ceviche (z surową rybą) lub sushi. Dobrze pasuje również do białej ryby, gotowanej na parze lub pieczonej.
Słodkie ziemniaki można pokroić na frytki, lekko posmarować olejem kokosowym, upiec na chrupiąco i dodać do sałatki.

SAŁATKA Z GNIECIONYCH OGÓRKÓW

Gniecenie ogórków może się wydawać trochę dziwne, ale poszarpane brzegi naprawdę dobrze absorbują Dressing z bliskowschodnią przyprawą za'atar (patrz strona 134) i ciekawie wyglądają.

Ogórek dobrze nawadnia i ma mało kalorii, natomiast ziarno sezamowe jest bogate w chroniące przed anemią żelazo.

4 duże ogórki
Dressing za'atar (patrz strona 134)
3 łyżki stołowe ziarna sezamowego
czerwone chili do dekoracji

Gnieciemy ogórki, trzymając mocno ręką za jeden koniec i delikatnie uderzając wałkiem. Staramy się nie rozchlapywać soku i kawałków ogórka po całej kuchni. Większe kawałki kroimy na mniejsze i wałkiem rozgniatamy resztę ogórka.

Rozgniecione ogórki przekładamy na półmisek lub do miski i polewamy dressingiem za'atar. Tak przygotowaną surówkę najlepiej pozostawić na ok. 30 minut do zamarynowania. Tuż przed podaniem ponownie mieszamy i posypujemy sezamem. Dekorujemy czerwonym chili.

Wersja gotowana...
Przypiekamy ogórki na gorącym grillu, aż miejscami lekko się przypalą.
Świeży smak tej surówki doskonale pasuje do każdej potrawy w stylu bliskowschodnim.

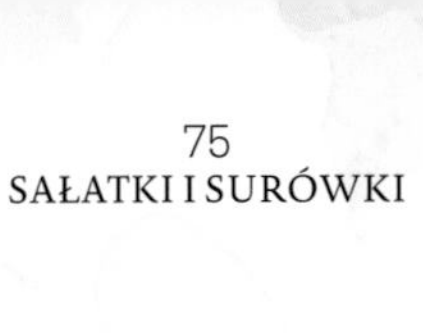

KRUCHA SAŁATKA Z ZIMOWYCH WARZYW

Przechowywane przez zimę surowe warzywa korzeniowe o wiele łatwiej trawić, jeśli poszatkuje się je w cienkie plasterki. Aby wydobyć z tej surówki anyżkowy posmak fenkułu, podajemy ją z Winegretem estragonowym (patrz strona 126) lub tuż przed podaniem posypujemy świeżymi listkami estragonu albo pierzastymi listkami brązowego fenkułu.

Pestki dyni wspaniale smakują same, ale można je podprażyć kilka minut na patelni (suchej lub z kilkoma kroplami oliwy), aż lekko zbrązowieją na krawędziach i lekko się otworzą. Nabierają wówczas pysznego smaku i chrupkości. Jeśli do tego jeszcze się je posoli, stają się znakomitą przekąską.

2 sałaty o czerwonych liściach
2-3 żółte lub czerwone buraki ćwikłowe
1 fenkuł
Winegret estragonowy (patrz strona 126)
1 mała garść mieszanej siekanej zieleniny, jak np. tymianek, szczypiorek, natka pietruszki i estragon
3 łyżki pestek dyni

Pestki dyni są doskonałym źródłem cynku, niezbędnego dla prawidłowego działania funkcji poznawczych oraz płodności.

Liście sałaty rwiemy na małe kawałki i rozsypujemy na dużym półmisku.

Bardzo cienko kroimy buraki oraz fenkuł, a następnie rozkładamy je na półmisku z sałatą.

Wszystko skrapiamy winegretem estragonowym i delikatnie mieszamy składniki. Następnie posypujemy pestkami dyni i siekaną zieleniną.

Dodatki smakowe...

Możemy urozmaicić smak tej surówki, posypując ją po wierzchu tartym parmezanem lub okruchami przypieczonej na chrupko pancetty.
Spróbujmy przypiec fenkuł do miękkości – dzięki temu zyska łagodniejszy, słodszy smak.

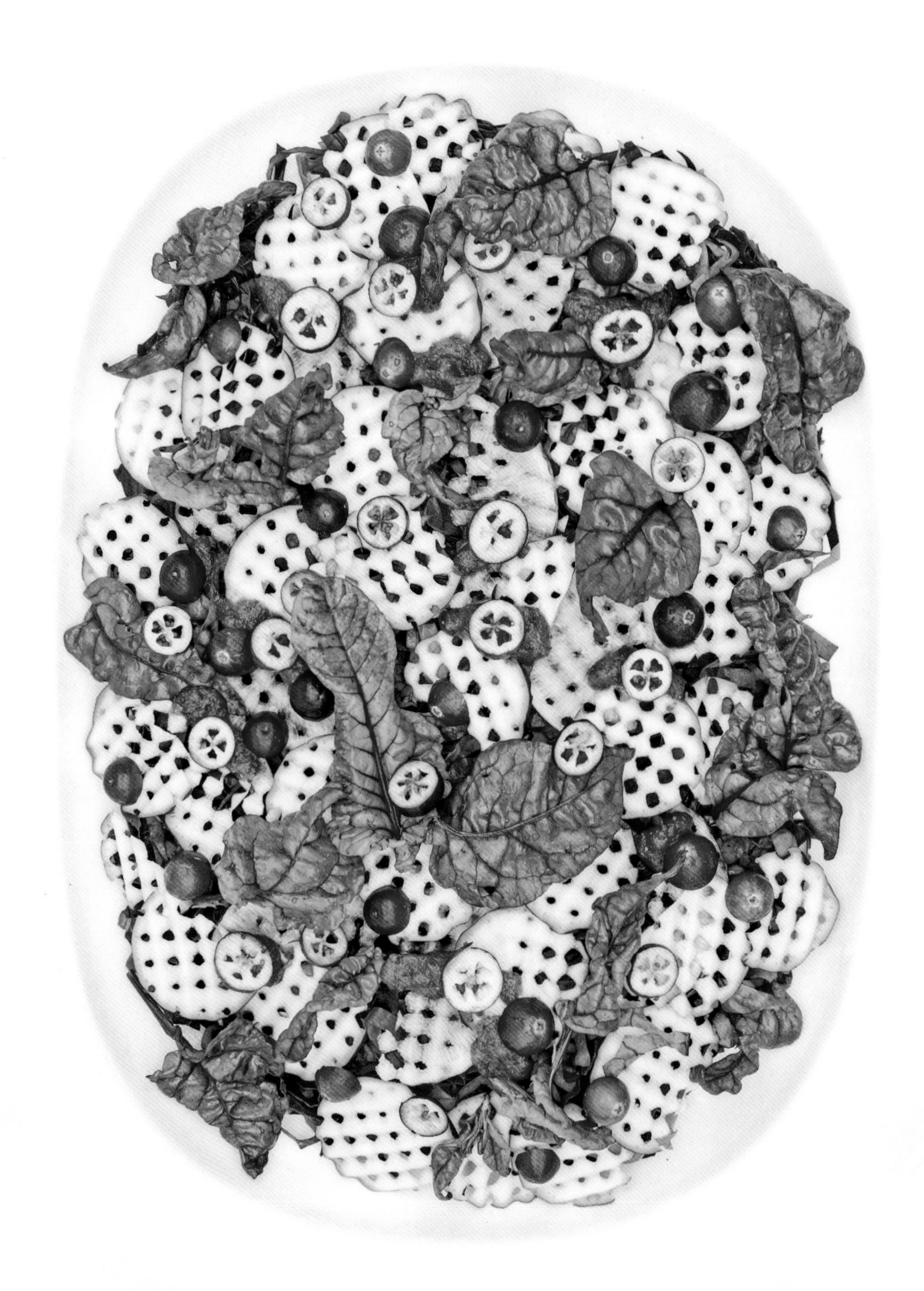

SAŁATKA Z CUKINII, BOĆWINY I ŻURAWINY

Świeże żurawiny nadają tej surówce prawdziwie świąteczny charakter, dzięki czemu świetnie nadaje się ona na Święto Dziękczynienia lub Boże Narodzenie.

Ja pokroiłam cukinię w gofretki (karbowane plasterki), używając do tego specjalnego noża o karbowanym ostrzu – najpierw kroimy w jednym kierunku, a potem odwracamy o 90 stopni i kroimy bardzo cienki plaster, następnie znów odwracamy o 90 stopni, żeby powstał karbowany plaster. Trzeba trochę praktyki, aby osiągnąć efekt szachownicy, ale gdy się uda, to jest naprawdę satysfakcjonujące. Można też użyć szatkownicy/mandoliny.

1 duży pęczek młodej boćwiny
2-3 duże cukinie
300 g świeżych żurawin
3 łyżki soku z żurawin
1 łyżka przyprawy sumak
sól i pieprz do smaku

Sałatka dostarcza dużych ilości potasu, witaminy A i magnezu. Natomiast żurawiny są pełne przeciwutleniaczy i związków fitochemicznych, chroniących przed infekcjami układu moczowego.

Liściastą część boćwiny odrywamy od łodyg (z łodyg potem wyciśniemy sok do picia) i drobno siekamy. (Na zdjęciu liście są całe ze względów dekoracyjnych, ale do jedzenia najlepiej je posiekać).

Cukinię kroimy (zgodnie z podaną wyżej instrukcją) lub ścieramy na tarce, a następnie mieszamy z boćwiną. Odkładamy 200 g żurawiny na dressing, a resztę cienko kroimy (niektóre możemy zostawić w całości) i dodajemy do surówki.

Odłożoną żurawinę przesypujemy do blendera lub robota kuchennego, wlewamy sok z żurawin, 2 łyżki wody i sumak, po czym rozdrabniamy na gładką konsystencję. Jeśli trzeba, dolewamy trochę więcej wody lub soku żurawinowego dla rozcieńczenia dressingu, który powinien być płynny.

Tuż przed podaniem polewamy surówkę dressingiem i dokładnie mieszamy, aż dobrze pokryje on wszystkie składniki.

Świąteczny akcent...

Ta surówka świetnie nadaje się również na okres po świętach, gdy doda się do niej kawałki pieczonego indyka, pokrojoną w kostkę pieczoną dynię i przypieczone grzanki.

SAŁATKA WARZYWNA POSYPANA SUROWYMI GRZYBAMI

Uwielbiam surowe grzyby w sałatkach, ale stwierdziłam, że jedzenie ich w dużych ilościach lub przyrządzanie sałatek z samych grzybów to może być za wiele dobrego naraz.

Dlatego często mieszam grzyby z innymi składnikami lub używam ich do posypywania surówek z wierzchu, tak jak to zrobiłam w tym daniu, które świetnie nadaje się na przyjęcie. Nasiona granatów i jadalne kwiaty stanowią piękną dekorację i wykończenie, a drobniutko siekane kolorowe łodygi boćwiny nadają łagodny, słonawy smak.

Surówka na zdjęciu nie jest skropiona dressingiem, ale wspaniale komponuje się z Dressingiem w stylu azjatyckim (patrz strona 134) lub Winegretem z granatów (patrz strona 127).

Grzyby zawierają witaminy z grupy B, które pomagają uwalniać energię z pożywienia, a także miedź – składnik niezbędny do prawidłowego funkcjonowania układu odpornościowego.

300-400 g grzybów
3-4 kolorowe łodygi boćwiny
2-3 duże garście startych lub krojonych w plasterki warzyw, takich jak papryka, marchew, surowe buraki lub cukinia
1 garść nasion granatu
jadalne kwiaty do dekoracji
Dressing w stylu azjatyckim (patrz strona 134) lub
Winegret z granatów (patrz strona 127)

Grzyby kroimy bardzo cienko, a łodygi boćwiny siekamy w drobniutką kostkę.

Pozostałe starte i pokrojone warzywa przekładamy na duży półmisek lub do miski i posypujemy pokrojonymi grzybami.

Na wierzch sypiemy nasiona granatu, pokrojoną boćwinę i jadalne kwiaty – podajemy z wybranym dressingiem.

Wersja gotowana...

Grzyby pieczemy w całości i kładziemy na wierzch surówki przed podaniem. Można też dodać pokrojoną w kawałki wieprzowinę i lekki sos barbecue.

SAŁATKA „ZIELONE NA ZIELONYM"

Prosta surówka z groszku, szparagów, świeżej zieleniny i fenkułu, skropiona zwykłym sokiem z mandarynek i odrobinę przyprawiona do smaku.

Szparagi są pyszne na surowo, zwłaszcza gdy są naprawdę świeże. Można je pokroić w piękne wstążki, używając zwykłej obieraczki do warzyw.

Jako dressing wykorzystałam sok i skórkę z zielonych sycylijskich mandarynek – ich słodko-kwaśny smak i niemal ziołowy zapach to wszystko, czego potrzeba było tej surówce, żeby ją zwilżyć i złagodzić trawiasty smak. Jeśli nie możemy dostać zielonych mandarynek, użyjmy zamiast nich zwykłych pomarańczy z odrobiną soku z limonki.

Nic też nie stoi na przeszkodzie, żeby wykorzystać Cytrynową salsa verde (patrz strona 133), Dressing w stylu gremolaty (patrz strona 133) lub Dressing z zielonego soku (patrz strona 128).

Nasze mamy miały bezwzględnie rację, mówiąc, żeby jeść zieleniny – ta surówka jest bogata w foliany, a groszek ma mnóstwo witaminy B_1 (tiamina), niezbędnej dla zdrowia układu nerwowego.

2 pęczki szparagów
1 duży fenkuł
300 g wyłuskanego zielonego groszku
drobno starta skórka i sok z 2-3 zielonych sycylijskich mandarynek
1 mały pęczek mieszanej siekanej zieleniny (mięta, bazylia, koperek i natka pietruszki)
sól i pieprz do smaku

Odłamujemy zdrewniałe części szparagów (gdy się je zegnie, w naturalny sposób łamią się we właściwym miejscu) i za pomocą obieraczki do warzyw kroimy w cienkie wstążki.

Cienko kroimy lub szatkujemy fenkuł i razem z groszkiem dodajemy do szparagów – mieszamy wszystko w misce lub na półmisku.

Posypujemy surówkę startą skórką z mandarynek, wyciskamy sok i przyprawiamy solą oraz pieprzem. Tuż przed podaniem posypujemy zieleniną.

Gorące dodatki...

Doskonałym daniem do tej surówki jest smażony tuńczyk, pieczona ciecierzyca, gotowana czarna fasola lub pieczone różyczki kalafiora.

SAŁATKA Z BOĆWINY I POMIDORÓW

Boćwina pysznie smakuje w sałatkach na surowo, a jej liście są niezwykle bogate w składniki odżywcze i doskonale się komponują z wszelkimi innymi smakami, natomiast naturalnie słone łodygi można drobno posiekać lub wycisnąć z nich sok, uzyskując dressing, który nie wymaga dodatkowej soli.

Do tej sałatki proponuję Dressing pomidorowy (patrz strona 133) – jeden z moich ulubionych. Można odłożyć połowę pomidorków koktajlowych i udekorować nimi surówkę przed podaniem, zamiast wykorzystać całą podaną ilość do dressingu.

2 cykorie liściowe
2 pęczki boćwiny
Dressing pomidorowy (patrz strona 133)
50 g orzeszków piniowych

Boćwina i dressing pomidorowy dobrze się komponują, zapewniając tej surówce bogactwo witamin i przeciwutleniaczy. Orzeszki piniowe są bogate w magnez – składnik niezbędny do wytwarzania energii w organizmie.

Rwiemy liście cykorii i liściowe części boćwiny na drobne kawałki (z łodyg można wycisnąć sok) i przekładamy do miski.

Tuż przed podaniem polewamy wszystko dressingiem pomidorowym i posypujemy orzechami.

Odrobina wzmocnienia...

Bekon, niebieski ser pleśniowy lub grillowane mięso bądź ryba oraz/lub garść chrupiących czosnkowych grzanek sprawią, że ta surówka stanie się bardziej treściwa.

SŁODKO-KWAŚNY „MAKARON" WARZYWNY

Lekka, nietłusta surówka jest świetna na cieplejsze miesiące, z uwagi na swoją kruchość, chrupkość i odświeżający charakter oraz mnóstwo świeżych, pikantnych smaków. Dressing słodko-kwaśny jest pikantny i pożywny.

Kiełkujące nasiona uważa się powszechnie za dar natury i prawdziwą superżywność. Można je kupić w większości supermarketów, ale naprawdę łatwo wyhodować je samodzielnie.

2 duże marchwie, wyszorowane lub obrane ze skórki
2 cukinie
1 duży ogórek
3-4 dymki
1 duża czerwona chili
½ obranej czerwonej cebuli
1 duża czerwona papryka pozbawiona nasion
1 duże mango
2 łyżki stołowe sezamu
1 garść siekanej kolendry
1 duża garść kiełkujących nasion lub fasoli

Kiełkujące nasiona zaliczają się do superżywności i wzbogacają tę surówkę w enzymy i niezbędne składniki odżywcze. Są również źródłem surowych białek roślinnych.

DRESSING SŁODKO-KWAŚNY
2 łyżki oleju sezamowego
1 łyżka pasty daktylowej lub innego słodzika
1 łyżeczka przyprawy pięciu smaków
2 łyżeczki świeżego, startego imbiru
1 mały, obrany ząbek czosnku
drobno starta skórka i sok z 1 limonki
1 łyżeczka niepasteryzowanego sosu sojowego (nama shoyu) lub zwykłego sosu sojowego (niekoniecznie)
sól i pieprz do smaku

Kroimy marchew (nie ma potrzeby jej obierać, jeśli jest ekologiczna), cukinie i ogórek na cienki „makaron" za pomocą specjalnej obieraczki do warzyw lub krajalnicy.

Dymkę siekamy grubo, a chili i czerwoną cebulę bardzo drobno. Paprykę i mango kroimy w drobną kostkę.

Wszystkie składniki przekładamy do dużej miski, razem z sezamem, kolendrą i kiełkami, a następnie delikatnie mieszamy (najłatwiej zrobić to rękami).

Aby przygotować dressing, przekładamy wszystkie składniki do robota kuchennego i miksujemy na gładką, gęstą masę. Jeśli wolimy bardziej płynną konsystencję, dodajmy nieco więcej soku z limonki lub trochę wody. Przyprawiamy solą i pieprzem do smaku.

Polewamy surówkę dressingiem słodko-kwaśnym i mieszamy.

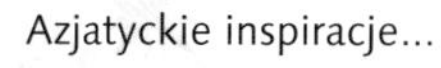

Azjatyckie inspiracje...

Zamiast ryżu i tradycyjnego makaronu możemy podawać „makaron" warzywny z dowolnym sosem w stylu chińskim, zastępując nim Dressing słodko-kwaśny. Surówka ta doskonale pasuje do drobno krojonego mięsa z grilla lub mielonej wieprzowiny.

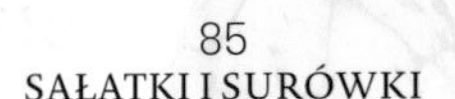

SAŁATKA Z POMIDORÓW I KARCZOCHÓW

Bardzo młode i delikatne serca karczochów można jeść na surowo, ale jeśli uda się nam znaleźć surową wersję konserwowanych karczochów (najczęściej w słoiku zalane oliwą z oliwek), to są one znacznie smaczniejsze i mniej kłopotliwe w przygotowaniu.

Dodałam trochę suszonych pomidorów, żeby uzyskać mocny pomidorowy smak (na stronie 140 podaję, jak je suszyć domowym sposobem), ale zamiast tego można użyć świeżych.

Mocno pomarańczowy w kolorze Winegret z pomarańczą (patrz strona 127) harmonizuje i ożywia tę surówkę.

2 sałaty o czerwonych liściach
150 g konserwowanych serc karczochów
Winegret z pomarańczą (patrz strona 127)
6-7 dużych, pokrojonych w plasterki, mocno wysuszonych pomidorów (patrz strona 140) lub plasterki świeżych pomidorów
1 garść liści bazylii

Ta surówka jest bogata w likopen z pomidorów oraz stanowi dobre źródło witaminy C. W tradycyjnej medycynie karczochy są środkiem leczniczym dla wątroby.

Rwiemy liście sałaty na mniejsze kawałki i przekładamy do misy lub na półmisek.

Karczochy siekamy grubo (albo pozostawiamy w całości).

Liście sałaty polewamy winegretem z pomarańczy, dodajemy karczochy i wysuszone lub świeże pomidory, a następnie wszystko delikatnie mieszamy. Na koniec posypujemy surówkę bazylią, rozrywając co większe listki na drobniejsze kawałki.

Gotowane dodatki...

Pieczone warzywa podtrzymają śródziemnomorski charakter tej surówki. Możemy także nałożyć na wierzch kremowy ser, jaja ugotowane na twardo lub w koszulkach.
Dobrze pasuje do niej pokrojone w kostkę grillowane mięso.

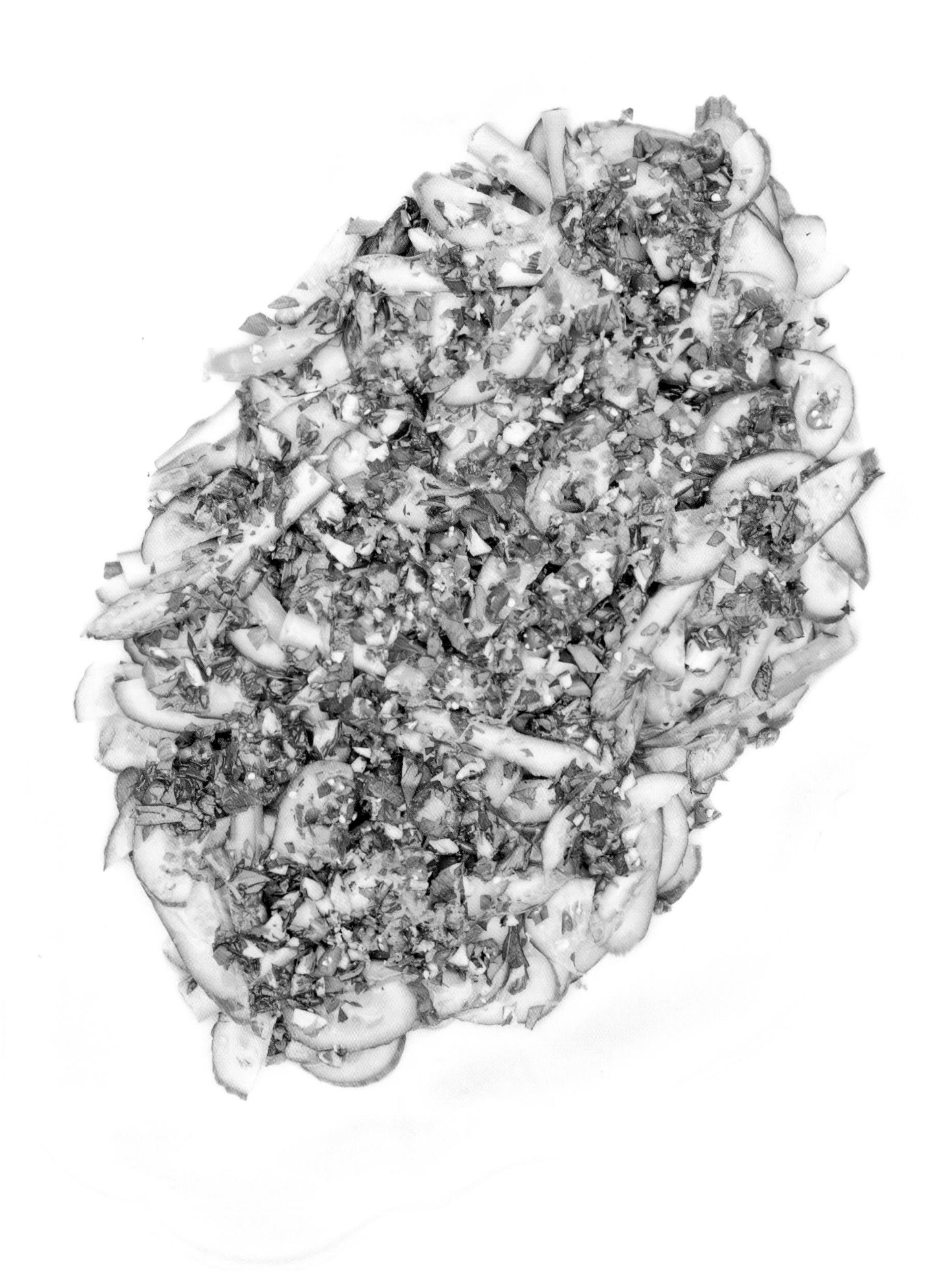

SAŁATKA ZE SZPARAGÓW I OGÓRKA Z PIKANTNĄ GREMOLATĄ POMARAŃCZOWĄ

Cienko krojone szparagi i ogórki posypujemy pikantną gremolatą z pomarańczy, która dodaje im zarówno smaku, jak i chrupkości.

Z uwagi na to, że gremolata jest dość sucha z natury, na surówkę warto użyć bardziej soczystych składników, ponieważ takie połączenie sprawi, że będzie ona lepiej przypominać dressing.

6-7 szparagów, bez zdrewniałych części
2 duże ogórki

PIKANTNA GREMOLATA POMARAŃCZOWA
2 czerwone chili lub do smaku
1 mała garść natki pietruszki
150 g migdałów lub orzechów włoskich
1 pomarańcza
kilka kropel tłoczonej na zimno oliwy z oliwek (niekoniecznie)
sól i pieprz do smaku

Ta surówka jest dobrym źródłem witaminy C, folianów i niezbędnych kwasów tłuszczowych. Natomiast chili na chwilę podkręci metabolizm.

Szparagi i ogórki kroimy na cienkie plasterki i przekładamy do miski lub na półmisek.

Aby przyrządzić pikantną gremolatę pomarańczową, oczyszczamy chili z nasion i kładziemy na desce do krojenia razem z natką pietruszki i migdałami lub orzechami. Na to ścieramy drobno skórkę z pomarańczy i wszystko razem siekamy (możemy też rozdrobnić w robocie kuchennym), aż uzyskamy mieszaninę drobnych, ale wciąż wyczuwalnych kawałków.

Posypujemy gremolatą plasterki szparagów i ogórków, delikatnie wszystko mieszamy. Jeśli chcemy, skrapiamy surówkę oliwą z oliwek i przyprawiamy solą i pieprzem do smaku.

Mięso i ryba...
Cienko krojona szynka parmeńska, pieczony tuńczyk lub makrela w pieprzu świetnie pasują do świeżych i pikantnych smaków tej surówki.

SAŁATKA Z „MAKARONU" Z MARCHWI

Marchew doskonale nadaje się do wykrawania spiral za pomocą krajalnicy, ponieważ jest twarda i można ją pokroić i przygotować z dużym wyprzedzeniem, dzięki czemu nieco zmięknie, zanim ją podamy. Ja użyłam marchwi fioletowej, żółtej i pomarańczowej, gdyż ich kolory pięknie ze sobą kontrastują. Warto się postarać, żeby je dostać.

Orzeszki ziemne i marchewka są w naturalny sposób pokrewne smakowo, więc przyprawiłam tę surówkę Dressingiem arachidowym w stylu satay (patrz strona 134).

Połączenie marchewki ze zdrowym tłuszczem z masła orzechowego lub pasty sezamowej (tahini) sprawia, że przyswajamy więcej zawartych w niej, rozpuszczalnych w tłuszczach beta karotenów (witamina A).

3-4 duże marchewki, wyszorowane lub obrane ze skórki
1 łyżka maku
Dressing arachidowy w stylu satay (patrz strona 134)
jadalne kwiaty do dekoracji

Marchew kroimy w spiralę (nie ma potrzeby jej obierać, jeśli jest ekologiczna) – uzyskujemy wówczas coś w rodzaju „makaronu" – lub ścieramy na grubej tarce. Mieszamy z makiem i przygotowujemy do podania.

Polewamy wszystko dressingiem arachidowym, wstrząsamy, żeby się połączyło i tuż przed podaniem posypujemy jadalnymi kwiatami.

Doładowanie białkowe...

Dodajmy kilka garści siekanego szpinaku, prażonych orzechów i ziaren lub kawałki mięsa z grilla.
Dressing arachidowy w stylu satay dobrze pasuje do rozmaitych potraw z kurczaka.

SAŁATKA Z CYKORII I KIEŁKÓW BRUKSELKI

Uwielbiam surówki w kolorach różowych i zielonych!

Mniejsze, wewnętrzne liście cykorii są często jaśniejsze i bardziej różowe niż zewnętrzne i wyglądają naprawdę pięknie na tle zielonych brukselek.

Kiełki brukselek szatkujemy na cienkie plasterki – jest to doskonały sposób na włączenie ich do sałatki w stanie surowym, ponieważ nawet osoby nie lubiące kapusty, zjadają je w takiej postaci bez protestu.

Ta krucha, chrupiąca surówka świetnie smakuje razem z Pesto pistacjowym (patrz strona 132) lub Winegretem z granatów (patrz strona 127).

2 cykorie liściowe
2 zielone sałaty o miękkich liściach
200 g kiełków brukselki
100 g pistacji bez skorupek
Pesto pistacjowe (patrz strona 132) lub
Winegret z granatów (patrz strona 127).
1 mała garść mieszanej siekanej zieleniny (jak np. natka pietruszki, koperek, tymianek, oregano i bazylia)

Brukselki są potężnym źródłem składników odżywczych – bogatym w foliany, witaminę C i fitozwiązki, które zmniejszają ryzyko zachorowania na raka.

Rwiemy liście cykorii i sałaty na mniejsze kawałki.

Brukselkę szatkujemy lub kroimy na bardzo cienkie plasterki, a pistacje siekamy na drobno.

Łączymy wszystkie składniki w misce i podajemy z wybranym dressingiem, posypane siekaną zieleniną.

Wersja gotowana...

Cykorię pieczemy lub grillujemy.
Zewnętrzne liście brukselki można przypiec na chrupiąco.
Dodatkowego białka dostarczy gotowany łosoś bądź marynowany tempeh lub tofu.

„SPAGETTI" Z JABŁEK Z JESIENNYMI OWOCAMI

Do tej lekkiej jesiennej surówki pokroiłam jabłka w spiralę, uzyskując coś w rodzaju spagetti, a następnie połączyłam z czarnymi bezpestkowymi winogronami i złocistą kostką z owoców hurmy. Wszystko to przyprawiłam aromatycznym i pięknym w kolorze sosem z pomarańczy i owoców męczennicy (passiflora).

Do zdjęcia ułożyłam liście winogron, żeby nadać surówce prawdziwie jesienny charakter, ale nie dodajemy ich do jedzenia.

Czerwone jabłka są dobrym źródłem przeciwutleniających polifenoli, zmniejszających ryzyko chorób serca.

3 duże owoce męczennicy (passiflora)
drobno starta skórka i sok z 1 pomarańczy
1 małe grono bezpestkowych czarnych winogron
sok z 1 cytryny
3 duże jabłka o czerwonej skórce
3 duże owoce hurmy (persymona)

Aby przygotować sos, przekrawamy owoce passiflory na pół, wydrążamy miąższ i przekładamy do miski, razem ze skórką i sokiem z pomarańczy. Mieszamy wszystko ze sobą i odstawiamy do lodówki. Wyjmujemy tuż przed podaniem.

Gdy sos się chłodzi, obrywamy winogrona z łodyżek i przekrawamy każdy owoc na pół.

Przygotowujemy lekko zakwaszoną wodę, żeby zabezpieczyć jabłka przed czernieniem. W tym celu wyciskamy sok z cytryny do dużej miski wypełnionej ok. 200 ml zimnej wody.

Za pomocą krajalnicy lub specjalnej obieraczki kroimy jabłka na spagetti lub zapałkę. Tak przygotowane jabłka wkładamy do podkwaszonej wody i delikatnie mieszamy, żeby wszystkie kawałki miały styczność z wodą, a następnie dobrze osuszamy na papierowym ręczniku. Owoce hurmy kroimy w kostkę.

Jabłkowe „spagetti" układamy w stos na środku dużej misy i posypujemy hurmą oraz winogronami. Na koniec polewamy wszystko sosem z pomarańczy i męczennicy.

W postaci przecieru...

Gdy rozdrobnimy owoce z wodą kokosową, otrzymamy pyszny, bezmleczny przecier (smoothie).

Owoc hurmy można grillować lub przypiekać na barbecue, żeby nieco odmienić smak sałatki.

Owoce można też podawać skropione naturalnym jogurtem lub śmietaną.

WARZYWNY „MAKARON" Z SOSEM KOKOSOWO-CURRY

Choć sos ten jest pożywny, ma odświeżający smak i można go lekko podgrzać przed podaniem, podobnie, jak „makaron". Podgrzewamy go na parze lub wrzucamy na krótką chwilkę do wrzącej osolonej wody, a następnie dokładnie osuszamy. Można też lekko podsmażyć bez tłuszczu na patelni.

2 zielone cukinie
2 żółte cukinie
1 duża marchew, wyszorowana lub obrana ze skórki
200 g zielonego groszku w strączkach lub bez
2 kolby kukurydzy bez zewnętrznych liści
1 duża garść mieszanej siekanej zieleniny, jak kolendra, natka pietruszki, rozmaryn, oregano i tymianek
świeże wiórki kokosowe i półksiężyce limonki do podania

SOS KOKOSOWO-CURRY
miąższ i sok z 1 świeżego młodego kokosa (lub 200 ml mleka kokosowego, 300 ml wody kokosowej i 150 g niesłodzonego wysuszonego kokosa)
1 szalotka „bananowa", obrana
½ zielonej chili
1 łyżka startego świeżego imbiru
1 mały obrany ząbek czosnku
drobno starta skórka i sok z 1 limonki
1 łyżka średnioostrego curry
2,5 cm świeżego korzenia kurkumy lub 2 łyżeczki kurkumy w proszku
sól i pieprz do smaku

Zawarta w tym sosie kurkuma ma właściwości przeciwzapalne. Połączenie jej z dobrze zmielonym czarnym pieprzem – bogatym w piperynę – zwiększa przyswajalność w organizmie.

Żółte i zielone cukinie oraz marchew kroimy w długi „makaron". Używamy do tego krajalnicy lub specjalnej obieraczki. Strączki groszku kroimy ukośnie w cienkie paski i obieramy ziarno kukurydzy z kolb.

Aby przygotować sos, rozdrabniamy razem miąższ i wodę ze świeżego kokosa (albo mleko kokosowe, wodę kokosową i suszony miąższ) z resztą składników na kremową, jedwabistą masę. Przyprawiamy do smaku. (Jeśli mamy świeży korzeń kurkumy, najpierw wyciśnijmy z niego sok).

Wszystkie warzywa przekładamy do dużej misy, polewamy sosem kokosowo-curry i dobrze mieszamy.

Zostawiamy surówkę na ok. 30 minut, żeby się przemacerowała. „Makaron" powinien nieco zmięknąć. Następnie posypujemy wszystko siekaną zieleniną i podajemy ze świeżymi wiórkami kokosowymi i półksiężycami limonki do wyciśnięcia z nich soku.

Mięsne klimaty...

Z warzywnym „makaronem" świetnie smakuje garść obranych, gotowanych krewetek tygrysich, mięso z pieczonego kurczaka na zimno lub poszarpana na włókna pieczona wieprzowina.

PROSTA SURÓWKA Z MARCHEWKI

Z marchwi (tak jak z cukinii) można niemal natychmiast wyczarować pyszną surówkę. A przy tym marchew wspaniale zaspokaja głód, gdy wygłodniali wracamy z pracy do domu i musimy szybko coś przekąsić. Zawsze trzymam na takie „nagłe okazje" słoik dressingu w lodówce i gdy już szybko zetrę jedną lub dwie marchewki, od razu mogę przyrządzić z nich apetyczną i sycącą przekąskę. W tej surówce są pomarańcze, żółte i fioletowe marchewki starych odmian, zmieszane z liśćmi sałaty, siekaną czerwoną kapustą i świeżą zieleniną.

Surówka z marchewki jest czymś w rodzaju podstawy, do której pasuje niemal każdy dressing – pikantny, owocowy, kremowy lub dietetyczny – ale moim ulubionym dodatkiem do tego rodzaju mieszanki jest albo Winegret z pomarańczy (patrz strona 127), albo Dressing arachidowy w stylu satay (patrz strona 134), a do tego posypka z siekanych orzechów i sułtanek.

Jeśli mamy marchew ekologiczną, której zielone wierzchołki nie zostały obcięte, zachowajmy je do posiekania i posypania surówki. Będą znakomitym źródłem dodatkowych składników odżywczych.

¼ czerwonej kapusty
1 mała sałata (dowolna)
4-6 dużych marchewek, najlepiej starych odmian, wyszorowanych lub obranych ze skórki
1 garść mieszanej, siekanej zieleniny o miękkich liściach, jak natka pietruszki, koperek, kolendra i bazylia
wybrany dressing

Marchew jest fantastycznym źródłem beta karotenów, które przekształcają się w organizmie w witaminę A, niezbędną dla oczu, skóry i układu odpornościowego. Sok z marchwi również dostarcza wielkich ilości dobroczynnych składników zawartych w tym warzywie, a jego słodko-kremowy smak świetnie się sprawdza jako dressing do surówki.

Marchewki siekamy, ścieramy na tarce lub szatkujemy na plasterki (jeśli są ekologiczne, nie trzeba ich obierać) i przekładamy do dużej miski.

Czerwoną kapustę kroimy drobno, a liście sałaty rwiemy na mniejsze kawałki. Mieszamy wszystko z marchewką i siekaną zieleniną.

Tuż przed podaniem polewamy surówkę wybranym dressingiem i cieszymy się pysznym smakiem.

Surowe i gotowane...

Spróbujmy łączyć w sałatkach gotowane i surowe postacie tych samych warzyw. Do tej sałatki można dodać np. trochę pieczonej marchewki, żeby uzyskać rozmaite smaki i aromaty tego warzywa.

SAŁATKA Z RUKOLI I RZODKWI Z DODATKIEM DRESSINGU ZE SPIRULINĄ

W tym przepisie wykorzystałam tzw. bangladeskie cytryny (*Citrus macroptera var. annamensis*), ponieważ uwielbiam ich nierówną, pomarszczoną skórkę i niesamowitą kwaśność. Nie zawsze udaje mi się je dostać, więc gdy ich nie mam, używam zwykłych żółtych cytryn, które również tu pasują.

400 g liści dwurzędu wąskolistnego, zwanego dziką rukolą
1 rzodkiew arbuzowa lub 3-4 zwykłe rzodkiewki,
3-4 okry
1 duża bangladeska cytryna (może być też zwykła)
Dressing ze spiruliną (patrz strona 135) lub posypka ze spiruliny w proszku (może też być każdy inny dressing)

Spirulina jest szmaragdowozieloną algą, zaliczaną do superżywności, natomiast dwurząd wąskolistny jest wspaniałą zieleniną, bogatą w żelazo, foliany i witaminę A.

Wysypujemy liście dwurzędu na półmisek lub do dużej miski. Rzodkiew i okrę kroimy w cienkie plasterki i dodajemy do miski.

Jeśli mamy naprawdę ostrą szatkownicę (mandolinę) możemy pokroić na niej bangladeską cytrynę na cienkie plasterki, dzięki czemu da się ją jeść na surowo, lub też drobno zetrzeć z niej skórkę i wycisnąć sok do dressingu ze spiruliny, a do sałatki dodać cienkie plasterki tego owocu.

Polewamy surówkę dressingiem lub posypujemy ją odrobiną spiruliny w proszku, jak to zrobiłam w tym wypadku, a dressing wybieramy wedle gustu.

Jako dodatek i przekąska...

Pieprzny smak liści dwurzędu wąskolistnego świetnie się komponuje z każdą, surową lub gotowaną (pieczoną czy smażoną) rybą, poza tym surówkę tę można serwować w małych porcyjkach dla oczyszczenie podniebienia pomiędzy daniami.

SAŁATKA Z ARBUZA I PESTEK SŁONECZNIKA

Barwna letnia sałatka, którą przyrządza się w czasie, gdy arbuzy są najsłodsze i najbardziej soczyste, a słoneczniki dojrzewają w wielkiej obfitości.

Co ciekawe, niemal każda część słonecznika nadaje się do jedzenia na dowolnym etapie jego życiowego cyklu. Kiełkujące pestki są fantastycznym dodatkiem do sałatek, a płatki kwiatów, których użyłam w tej sałatce, nadają jej łagodny, orzechowy posmak, pięknie komponujący się z chrupkością pestek.

Do sałatki dodałam również szczaw czerwony, ponieważ jego lekko kwaśne liście równoważą słodycz arbuza, ale można go zastąpić szpinakiem lub rukolą z odrobiną soku cytrynowego.

Arbuz wspaniale nawadnia i odświeża podczas upałów, ponieważ jego miąższ składa się w 92 procentach z wody. Różowy kolor pochodzi od likopenu (obecnego również w pomidorach), który obniża ryzyko chorób serca.

1 duży arbuz
1 duża garść liści szczawiu czerwonego lub młodego szpinaku
200 g pestek słonecznika
płatki z 3-4 słoneczników
sól i pieprz do smaku

Kroimy arbuza na spore kawałki, zachowując wyciekający sok, który wykorzystamy jako prosty dressing.

Liście szczawiu lub szpinaku rwiemy na kawałki na jeden kęs i mieszamy z kawałkami arbuza w dużej misce lub na półmisku. Przyprawiamy do smaku, dodając trochę soku z arbuza.

Tuż przed podaniem posypujemy pestkami i płatkami słonecznika.

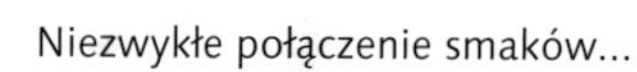

Niezwykłe połączenie smaków...

Podajemy tę surówkę jako dodatek do mięsa grillowanego, posypaną odrobiną fety oraz garścią siekanej świeżej mięty dla niezwykłego połączenia smaków.

SAŁATKA ZE SMOCZEGO OWOCU, Z DRESSINGIEM Z MĘCZENNICY I KLEMENTYNEK

Smoczy owoc (pitaja) wygląda pięknie i wręcz surrealistycznie ze swoją jaskraworóżową skórką i miękkimi zielonymi „kolcami". Nie znalazłam jeszcze sposobu, żeby z góry przewidzieć, jak wygląda jego wnętrze – czy będzie białe, czy też np. jaskrawo różowe – więc za każdym razem, gdy go kroję, jest ono dla mnie niespodzianką.

Ta sałatka z owoców tropikalnych, z ananasem, pomelo, miechunką i gujawą jest polana samym sokiem wyciśniętym z klementynek i odrobiną pulpy z męczennicy (passiflory).

1 duży ananas
2 pomelo
2-3 gujawy
12 miechunek
3 duże smocze owoce
3 klementyki
4 owoce męczennicy
liście mięty do dekoracji

Każde 80 g wybranego owocu stanowi jedną porcję z zalecanych pięciu porcji warzyw i owoców dziennie. To oznacza, że w tej sałatce mieszczą się co najmniej trzy porcje owoców na osobę.

Obieramy ananasa i usuwamy środek, a miąższ kroimy na kawałki. Pomelo obieramy i kroimy na kawałki.

Gujawę kroimy na pół i wydrążamy miąższ, a następnie usuwamy cienkie jak papier zewnętrzne liście miechunki.

Zdejmujemy skórkę ze smoczego owocu, a miąższ kroimy na kawałki – ja pokroiłam go w gwiazdki.

Tak przygotowane owoce przekładamy do miski lub na półmisek. Klementynki przekrawamy na pół i wyciskamy z nich sok do sałatki. Przekrawamy na pół owoce męczennicy i wydrążamy miąższ. Na koniec wszystko posypujemy listkami mięty do dekoracji.

Szaszłyki i przeciery...

Jako alternatywny sposób podania tej sałatki, możemy pokroić owoce na kawałki na jeden kęs i nawlec je na patyczki do szaszłyków.
Wszystkie wymienione owoce można też rozdrobnić z naturalnym jogurtem i garścią płatków owsianych lub surowego owsa i podawać jako pożywny smoothie na śniadanie.

SAŁATKA Z PAPRYKI Z SALSĄ Z GNIECIONYCH POMIDORÓW I POMARAŃCZY

Smaki papryki, pomarańczy i pomidorów naprawdę dobrze się ze sobą komponują, a poza tym wszystkie razem pięknie wyglądają. Łącząc w tej salsie pomarańcze z pomidorami, uzyskujemy wspaniałą słodko/słoną kombinację smaków, które również doskonale komponują się z awokado.

4-5 czerwonych i pomarańczowych papryk
1 garść mieszanej siekanej zieleniny, jak tymianek, szczypiorek, natka pietruszki, bazylia i koperek, plus dodatkowa ilość do dekoracji

Papryki i pomarańcze to dwa najbogatsze źródła witaminy C. Dlatego ta sałatka znakomicie wzmacnia układ odpornościowy.

SALSA Z GNIECIONYCH POMIDORÓW I POMARAŃCZY
2 pomarańcze
300 g pomidorków koktajlowych
3 dymki
odrobina tłoczonej na zimno oliwy z oliwek
sól i pieprz do smaku

Papryki oczyszczamy z nasion i kroimy na cienkie plasterki, a następnie przekładamy do miski, posypując przy tym siekaną zieleniną.

Aby przyrządzić salsę, obieramy pomarańcze ze skórki i dzielimy na cząstki, usuwając białą błonkę. Robimy to nad miską, żeby zachować cały wypływający przy tym sok. Kawałki pomarańczy grubo siekamy.

Pomidorki przekrawamy na pół i delikatnie zgniatamy, żeby wycisnąć z nich sok. Pomidorki i kawałki pomarańczy przekładamy do miski i zeskrobujemy z deski do krojenia do miski cały pozostały na niej sok pomidorowy. Dodajemy też „złapany" wcześniej sok pomarańczowy.

Drobno siekamy dymkę i dodajemy ją do pomidorów z pomarańczami, wlewamy oliwę z oliwek i całość doprawiamy solą oraz pieprzem. Delikatnie mieszamy do połączenia składników. Salsa jest najlepsza wówczas, gdy się ją odstawi na godzinę w pokojowej temperaturze, żeby smaki się przegryzły, ale można jej też użyć od razu po zrobieniu.

Warto wypróbować...

Doskonałym dodatkiem do tej sałatki jest awokado – surowe, grillowane lub pieczone, aż zrobi się naprawdę kremowe – choć równie pyszne byłyby kawałki pieczonego kurczaka i podprażone ziarno sezamu.

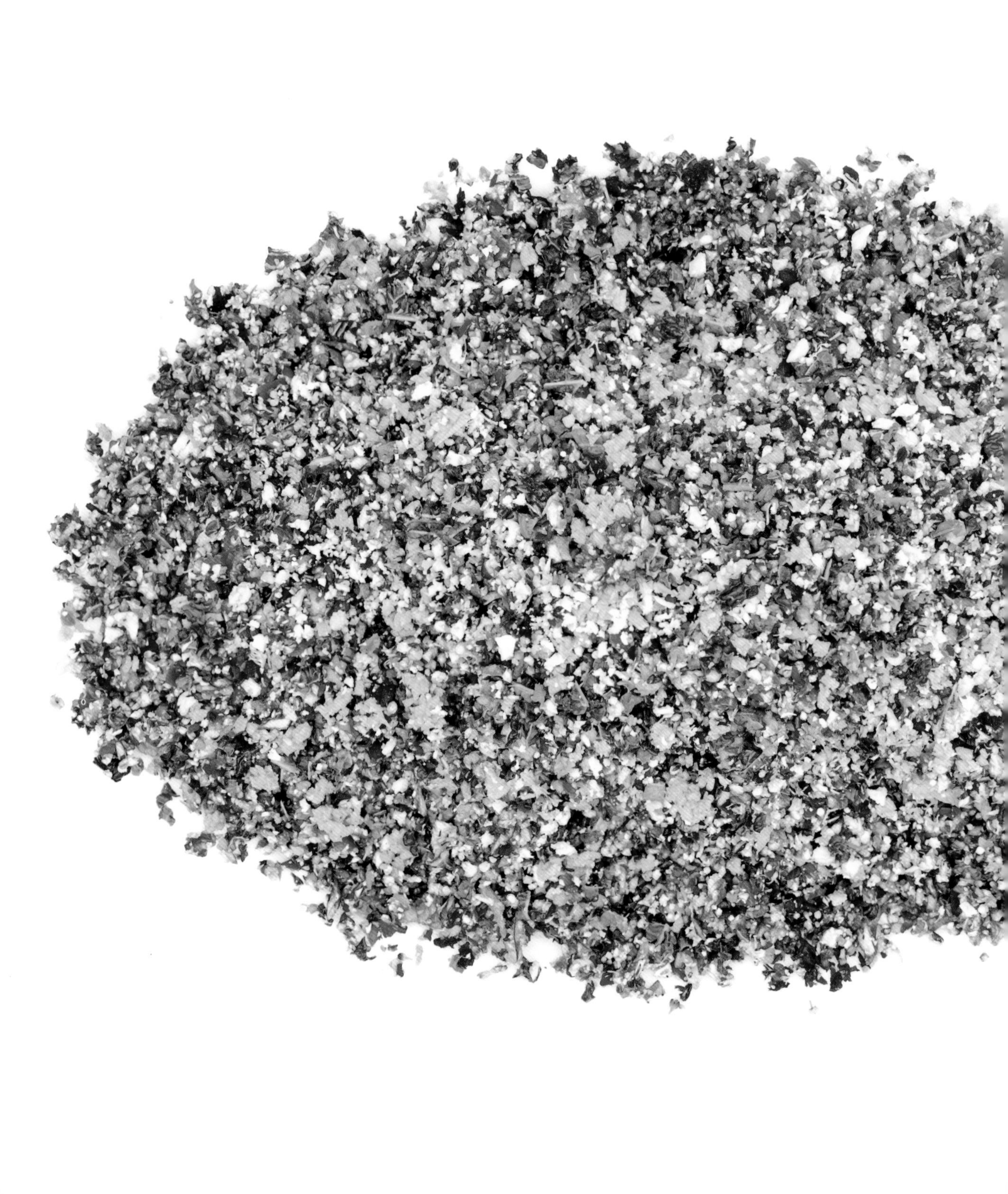

TĘCZOWY „KUSKUS" WARZYWNY

Mieszany warzywny „kuskus" to wspaniały sposób na zużycie wszelkich warzyw, które od jakiegoś czasu zalegają w lodówce, stanowi przy tym zdrową, niskowęglowodanową wersję tradycyjnego kuskusu.

Ja wykorzystałam rozmaite różniące się kolorami świeże warzywa i rozdrobniłam je na mniej więcej jednakowej wielkości „ziarno", żeby miały tę samą fakturę, co kuskus. Każde rozdrabniałam osobno, żeby zachować kolory, a dopiero w ostatniej chwili wszystkie je zmieszałam.

Najlepiej nadają się do tego warzywa mało soczyste, ponieważ wówczas ziarna się nie sklejają i surówka jest puszysta, ale warzywa bardziej soczyste po prostu podsuszamy po rozdrobnieniu na papierowym ręczniku, który absorbuje nadmiar wilgoci, i dopiero wtedy mieszamy z resztą składników. Zależnie od użytych warzyw, proponowaną sałatkę można jeść bez dodatków albo pokropić ją winegretem.

2-3 papryki (czerwona, pomarańczowa i żółta)
1 duży słodki ziemniak, obrany ze skórki
150 g małych kolb kukurydzy
3-4 liście jarmużu
2 surowe buraki, zwykłe lub pasiaste, wyszorowane lub obrane
2 duże marchewki, wyszorowane lub obrane
½ małej czerwonej kapusty
½ brokuła
1 mały pęczek rzodkiewek

Wyraziste czerwienie, żółcie i zielenie w tej sałatce oznaczają, że jest ona bogatym źródłem przeciwutleniających karotenoidów, które chronią skórę i utrzymują w zdrowiu układ odpornościowy.

Warzywa w miarę potrzeby oczyszczamy i kroimy na duże, nieregularne kawałki, a następnie rozdrabniamy każde z nich osobno w robocie kuchennym na drobną, ziarnistą kaszkę. Uważajmy, żeby nie rozdrobnić ich za bardzo, ponieważ zrobią się zbyt maziste. Paprykę przekładamy na papierowy ręcznik, żeby osuszyć ją z nadmiaru wilgoci.

Rozdrobnione warzywa przekładamy do dużej miski i delikatnie mieszamy, najlepiej rękami lub dużą łyżką, aż dobrze się połączą. Podajemy same lub z dowolnym dressingiem.

Jeśli wolimy na gorąco...
Krótko podgrzewamy nasz „kuskus" w dużym woku lub w mikrofalówce. Podajemy zamiast normalnego kuskus lub ryżu, jako dodatek do jakiejś potrawy, albo wykorzystujemy jako bazę sałatki i dodajemy białko – np. rybę, kurczaka lub inne mięso – można też skropić dowolnym dressingiem.

CUKINIETTI BOLOGNESE

„Cukinieti" ma taką samą fakturę, jak gotowany makaron, ale zawiera niewiele skrobi. Aby zrobić szerokie wstążki w stylu włoskich pappardelle, kroimy cukinie obieraczką w długie, szerokie plastry zamiast użyć krajalnicy. Jeśli nie lubimy cukinii, weźmy marchewki, ogórki lub dynię piżmową. „Cukinietti" polewa się sosem na bazie pomidorów, pełnym wspaniałych śródziemnomorskich aromatów i posypuje „parmezanem" z kalafiora. Mięsną strukturę nadają tej surówce moczone orzechy włoskie.

4 cukinie
3-4 małe różyczki kalafiora

SOS
50 g suszonych na słońcu pomidorów
4 daktyle odmiany medjool
100 g orzechów włoskich
1 marchewka, wyszorowana lub obrana
½ surowego buraka ćwikłowego, wyszorowanego lub obranego
½ obranej czerwonej cebuli
1 ząbek czosnku
½ czerwonej chili
½ czerwonej papryki
1 łodyga selera naciowego
1 mała garść natki pietruszki
1 gałązka rozmarynu
350 g pomidorków koktajlowych
drobno starta skórka i sok z 1 cytryny
2 garście liści bazylii odmiany Minimum (tzw. greckiej) (może też być zwykła)
sól i pieprz do smaku

Orzechy włoskie są źródłem witaminy E oraz kwasu linolenowego z grupy omega-3, który pomaga utrzymać prawidłową zawartość cholesterolu we krwi.

Sos zaczynamy robić poprzedniego dnia. Dość grubo kroimy suszone pomidory i wyjmujemy pestki z daktyli. Przekładamy jedno i drugie do małej miski i wlewamy nieco ponad 200 ml wody. Do innej miski wkładamy orzechy włoskie i zalewamy wodą, żeby je przykryła. Obie miski odstawiamy do lodówki na całą noc.

Następnego dnia dość grubo kroimy marchew, buraka, cebulę i czosnek. Czyścimy chili z pestek, a miąższ kroimy bardzo drobno. Równie drobno kroimy paprykę. Seler, natkę pietruszki i rozmaryn siekamy grubo. Bierzemy 50 g pomidorków, przekrawamy na ćwiartki i odkładamy na bok.

Czosnek, rozmaryn i chili przekładamy do robota kuchennego i mocno rozdrabniamy. Dodajemy marchew, seler, czerwoną paprykę i cebulę, po czym ponownie wszystko rozdrabniamy.

Osączamy i płuczemy orzechy, po czym dorzucamy do robota razem z burakiem, resztą świeżych pomidorów, skórką i sokiem z cytryny, namoczonymi daktylami i suszonymi pomidorami (oraz wodą z ich moczenia), natką i połową bazylii. Rozdrabniamy tę mieszaninę, aż powstanie gęsty sos, a orzechy zaczną przypominać fakturą mielone mięso. Przyprawiamy solą i pieprzem do smaku. Zależnie od tego, jak soczyste są pomidory, dolewamy do sosu wody, bądź nie.

Cukinie kroimy krajalnicą na długie, wijące się nitki, kroimy obieraczką na szerokie wstążki lub specjalną obieraczką robimy z niej cienki makaron.

Różyczki kalafiora rozdrabniamy w robocie kuchennym, aż zrobią się z niego drobne ziarenka. Jeśli jest bardzo soczysty, po rozdrobnieniu kładziemy go na papierowym ręczniku, żeby odciągnąć wilgoć.

Cukinietti rozkładamy na dużym półmisku, polewamy sosem, posypujemy krojonymi pomidorkami, które wcześniej odłożyliśmy na bok, „parmezanem" z kalafiora i resztą bazylii.

Dla wzmocnienia smaku...

Tuż przed podaniem posypujemy tę surówkę świeżo startym parmezanem lub pecorino romano (słony, twardy ser owczy). Do sosu dodajemy kilka anchois i rozdrabniamy. Zarówno „cukinietti", jak i sos można podgrzać przed podaniem.

SAŁATKA Z MARCHEWKI, FIG I CZARNYCH JAGÓD

Ja dodałam jagody w całości, ale można je rozdrobnić blenderem z odrobiną przypraw i potraktować jak pięknie wybarwiony, świeży dressing zamiast Winegretu ziołowego (patrz strona 126) lub Winegretu z cytryną i szalotką (patrz strona 126).

Aby wstążki marchewki się skręcały, włożyłam je na całą noc do lodowatej wody. Jest to świetny sposób na skręcenie każdego cieniutko pokrojonego warzywa – często robię tak z dymką i fenkułem, ponieważ ich mocno aromatyczne plasterki skręcają się i formują w najrozmaitsze fantastyczne kształty.

Marchew, migdały, figi, szpinak i czarne jagody zaliczają się do superżywności. jako bonus można potraktować fakt, że według najnowszych badań migdały nie są aż tak kaloryczne, jak dotąd myślano, ponieważ nawet jedna trzecia ich kalorii nie zostaje zaabsorbowana.

3-4 duże marchewki, wyszorowane lub obrane ze skórki
100 g całych migdałów
5 świeżych fig
400 g młodego szpinaku
200 g czarnych jagód (może być borówka amerykańska)
Winegret ziołowy (patrz strona 126) lub Winegret z cytryną i szalotką (patrz strona 126)

Za pomocą obieraczki do warzyw kroimy marchewki na cienkie wstążki (nie ma potrzeby obierać, jeśli są ekologiczne) i albo od razu przyrządzamy surówkę, albo najpierw zanurzamy je na noc w misce zimnej wody z kostkami lodu. Jeśli zdecydujemy się na ten drugi wariant, po namoczeniu paski marchewki trzeba bardzo dokładnie osuszyć, zanim dodamy je do sałatki.

Gdy przyjdzie czas wykończenia sałatki, siekamy migdały i kroimy figi na plasterki.

Do miski wkładamy liście szpinaku, marchewkę, czarne jagody, figi i migdały. Polewamy wszystko wybranym dressingiem.

Warto wypróbować...

Marchewkę do tej sałatki można upiec, zamiast podawać ją na surowo, a dodatkowe białko uzyskamy, dodając marynowany tempeh lub poszarpanego na włókna, pieczonego kurczaka.

SAŁATKA Z MANGO, BURAKA, JARMUŻU I RZODKIEWKI

Jarmuż do tej sałatki trzeba drobno pokroić albo porwać na kawałki i ugniatać/„masować" razem z dressingiem z mango. Trochę przy tym bałaganu, ale smakuje wspaniale.

Na potrzeby ilustracji pokroiłam buraka i rzodkiew arbuzową w dekoracyjne kształty, ale na co dzień można je pokroić, zetrzeć lub poszatkować w dowolny sposób.

Jeśli chcemy podać tę sałatkę z jakimś dressingiem, polecam Winegret pomarańczowy (patrz strona 127).

2 duże pęczki jarmużu
2 łyżeczki tłoczonej na zimno oliwy z oliwek
3 dojrzałe mango
1 duży żółty burak ćwikłowy, surowy, wyszorowany lub obrany
1 duża rzodkiew arbuzowa lub 4-5 zwykłych rzodkiewek
Winegret pomarańczowy (patrz strona 127).

Zestaw różnobarwnych warzyw jest zwykle bardziej odżywczy niż gdy są one tego samego koloru – w tej sałatce jest np. mnóstwo witamin i przeciwutleniaczy, w tym likopen, luteina i witamina C.

Odrywamy liściaste partie jarmużu od łodyg (z łodyg można wycisnąć sok do picia) i usuwamy z nich grube nerwy, a następnie rwiemy je na kawałki 2,5-5 cm i przekładamy do dużej miski.

Natłuszczamy je oliwą z oliwek i zaczynamy ugniatać je rękami. Trochę potrwa, zanim liście zmiękną, ale stopniowo zaczną tracić sztywność i staną się smaczniejsze i delikatniejsze. Są gotowe, gdy nabiorą jedwabistej gładkości.

Usuwamy pestkę z mango i obieramy owoce ze skórki. Jeśli są one naprawdę dojrzałe, można ugnieść je razem z jarmużem, ponieważ trudno będzie ładnie je pokroić. Po prostu zgniatamy je rękami i wcieramy w liście jarmużu.

Buraka oraz rzodkiew arbuzową kroimy na plasterki, ścieramy lub szatkujemy; możemy też wykroić z nich dekoracyjne formy i posypać nimi sałatkę tuż przed podaniem. Jeśli chcemy dodać winegret, to właśnie w tym momencie jest czas na skropienie nim sałatki.

Warto wypróbować...

Buraka można upiec, a z liści jarmużu zrobić chrupiące chipsy, żeby nieco zmienić fakturę sałatki.

Garść gotowanego brązowego ryżu lub komosy ryżowej (quinoa) uczyni z tej sałatki bardziej sycące danie.

SAŁATKA Z CZERWONYCH OWOCÓW

Uwielbiam komponować sałatki ze składników jednego koloru lub dobranych tonem, a ten półmisek głównie czerwonych owoców zawiera niektóre z najwspanialszych odmian dostępnych latem i wczesną jesienią.

Gdy owoce są naprawdę soczyste, nie wymagają właściwie żadnego dressingu – wystarczy wycisnąć sok z 2-3 pomarańczy, jeśli mamy ochotę.

Przygotowując tę sałatkę z wyprzedzeniem, układamy owoce w misie warstwami – najbardziej wytrzymałe, takie jak winogrona, kładziemy na sam spód, a bardziej delikatne, jak czerwona porzeczka czy truskawki, na wierzch, żeby się za bardzo nie pogniotły. Dopiero tuż przed podaniem wszystko delikatnie mieszamy.

Owoce w kolorach od czerwonego do fioletu są bogate w przeciwutleniające antocyjany, które wzmacniają i uelastyczniają skórę oraz naczynia krwionośne, a także mają właściwości przeciwzapalne.

400 g truskawek
200 g czerwonej porzeczki
1 małe grono bezpestkowych czarnych winogron
6-8 śliwek
4 dojrzałe nektarynki
200 g jeżyn

Truskawki odszypułkowujemy i przekrawamy na pół.

Część porzeczek obrywamy z gałązek, a kilka gałązek zostawiamy w całości do dekoracji. Obrywamy winogrona z gałązek.

Wyjmujemy pestki ze śliwek i nektarynek, a miąższ kroimy na grube plastry lub kawałki na jeden kęs.

Układamy owoce na półmisku, tuż przed podaniem dekorujemy gałązkami porzeczek.

Wersja koktajlowa...

Z owoców składających się na tę sałatkę można wycisnąć pyszny sok lub zrobić znakomity koktail, rozdrabniając je wszystkie razem, same lub z naturalnym jogurtem.

Można też je wykorzystać jako wierzchnią dekorację do deseru bezowego pavlova.

SAŁATKA Z ARBUZA I OGÓRKA

Ta sałatka szczególnie smakuje latem, ponieważ arbuz i ogórek mają właściwości chłodzące i odświeżające. Można oskrobać ogórek tarką do skórek cytrusowych, żeby po pokrojeniu na plasterki wyglądał bardziej dekoracyjnie.

Czerwona cebula w tej sałatce jest bogata w kwercetynę, naturalny środek przeciwzapalny i antyhistaminowy. Należy ją jeść w sezonie trudnym dla alergików.

1 mały arbuz
1 duży ogórek
½ obranej czerwonej cebuli
1 mała garść gałązek mięty
2 łyżki octu jabłkowego
½ łyżeczki przyprawy sumak
1 garść młodej zieleninki lub kiełków
1 garść rzeżuchy
sól i pieprz do smaku

Przekrawamy arbuz na pół i usuwamy pestki. Za pomocą specjalnego przyrządu wykrawamy z miąższu małe kulki lub kroimy miąższ w kostkę (zachowując sok do dressingu).

Ogórek przekrawamy na pół i łyżeczką usuwamy nasiona, a pozostały miąższ kroimy w półksiężyce.

Czerwoną cebulę kroimy na bardzo cienkie plasterki i obrywamy listki z gałązek mięty.

Aby przygotować szybki dressing, mieszamy 3-4 łyżki soku z arbuza, ocet jabłkowy, sumak i szczyptę przypraw.

Kulki arbuza, plasterki ogórka i czerwonej cebuli przekładamy do miski, polewamy dressingiem i delikatnie mieszamy rękami.

Na koniec posypujemy zieleniną lub kiełkami i rzeżuchą.

Doskonałe dodatki...

Do tego dania dobrze pasują dojrzałe krojone pomidory, a także garść sera feta, którym posypuje się tę sałatkę z wierzchu.

SAŁATKA Z MROŻONYCH OWOCÓW

Tę słodką sałatkę skomponowałam, inspirując się deserem z restauracji Ivy w Londynie, w której podano mrożone jagody z ciepłym sosem z białej czekolady.

Moja śmietanka z surowych migdałów smakuje czekoladowo – ma aromat wanilii, jest kremowa i słodka. Przyrządziłam ją w blenderze na szybkich obrotach – jest tak zawiesista i jedwabiście gładka, że trudno uwierzyć, iż to nie jest prawdziwa śmietana z mleka! Jeśli nie mamy wystarczająco szybkiego blendera, zamiast migdałów wykorzystajmy nerkowce, ponieważ są bardziej miękkie i łatwiej dają się rozdrobnić na gładką masę.

Może się okazać, że lekko rozgrzany w blenderze krem zacznie rozmrażać polane nim jagody. Jeśli chcemy, żeby był jeszcze cieplejszy, podgrzejmy go w kąpieli wodnej – w garnuszku nad rondelkiem lekko gotującej się wody.

Posypanie sałatki jagodami goji wzbogaca ją w superżywność (do której te jagody się zaliczają) i dodaje jej słodyczy oraz wzbogaca fakturę.

Najlepiej rozpocząć przygotowanie tego dania dzień przed podaniem, żeby

Jeżyny są bogate w antocyjany, związki chemiczne o właściwościach przeciwutleniających i przeciwzapalnych.

1 małe grono bezpestkowych winogron
250 g czerwonej porzeczki
225 g malin
250 g jeżyn
2 łyżki jagód goji

ŚMIETANKA Z SUROWYCH MIGDAŁÓW
200 migdałów
6 daktyli odmiany medjool, bez pestek
1 łyżka ekologicznego oleju kokosowego
nasiona z 1 laski wanilii

jagody zdążyły się zamrozić, ale trzeba przyznać, że są one pyszne również na wpół zamrożone, po zaledwie kilku godzinach w zamrażarce. Wybierzmy wariant, który nam najbardziej odpowiada.

Aby przygotować śmietankę migdałową, najpierw moczymy migdały przez noc w wodzie. W oddzielnym naczyniu moczymy również daktyle w 500 ml wody.

Świeże owoce płuczemy i dobrze osuszamy, obrywamy winogrona i porzeczki z gałązek – kilka gałązek porzeczek zostawiamy do dekoracji.

Zamrażamy owoce, rozkładając je na wyścielonej papierem blasze lub talerzu i wkładamy do zamrażarki. W ten sposób owoce się nie skleją i nie ulegną uszkodzeniu.

Migdały osączamy i płuczemy, a następnie rozdrabniamy je w blenderze z innymi składnikami (dodając wodę z moczenia daktyli), aż do uzyskania gładkiego, jednolitego kremu. Jeśli wydaje się za gęsty, dodajemy trochę wody.

Zamrożone jagody wykładamy na półmisek lub do dużej miski (uważajmy, żeby nie zniszczyć ich lodowej powłoczki), a następnie polewamy śmietanką migdałową i posypujemy jagodami goji.

Wariant koktajlowy i lodowy...

Sałatkę tę można przeobrazić w pełen owoców koktajl, rozdrabniając wszystko z odrobiną wody zwykłej lub kokosowej. Tak przygotowany koktajl można następnie zamrozić, formując z niego lodowe lizaki.

PÓŁMISEK OWOCOWEGO KONFETTI Z DRESSINGIEM Z MANGO I POMARAŃCZY

Nie jest to właściwie dokładny przepis, a raczej sugestia, jak można pięknie podać cały zestaw wspaniałych owoców. Uwielbiam serwować owoce na dużym wspólnym półmisku, z którego każdy wybiera sobie te kawałki, na które ma ochotę.

Wykorzystałam różne narzędzia i techniki krojenia, żeby uzyskać najróżniejsze kształty i efekty: kulki z melona i papai wydrążyłam dwoma przyrządami różnej wielkości (standardowym i mini – 5 mm), a wielkie, zwinięte w dyski paski melona wycięłam łyżką do lodów. Owoce kiwi pokroiłam natomiast w zygzakowate połówki, wykonując nierówne nacięcia po obwodzie i rozdzielając ząbkowane części. Owoce hurmy pokroiłam w zwykłą kostkę, a śliwki w plasterki.

Ułożone na półmisku owoce posypałam żółtymi płatkami róż i drobniutko krojonymi kwiatami fuksji.

Połączenie pomarańczy i mango zaowocowało przepięknie zabarwionym dressingiem, a jego jedwabiście gładka konsystencja upodabnia go do mleczno-owocowego kremu. Pięknie wygląda, gdy poleje się nim półmisek świeżych owoców, choć można go też użyć do „Spagetti" z jabłek z jesiennymi owocami (patrz strona 92).

Ta owocowa uczta to nie tylko raj dla podniebienia, lecz także co najmniej 4 porcje z przewidzianej dziennej dawki warzyw i owoców.

2 duże gruszki chińskie (nashi)
2 melony kantalupa
1 granat
1 papaja
1 owoc hurmy (szaron, persymona)
3 śliwki
3-4 kiwi
2 nektarynki
1 garść jadalnych kwiatów do dekoracji

DRESSING Z MANGO I POMARAŃCZY
2 dojrzałe mango
drobno starta skórka i sok z 1 dużej pomarańczy
3 daktyle odmiany medjool (bez pestek)
2 łyżki wody kokosowej

Owoce kroimy w dowolne formy i kształty, a następnie eksponujemy jak najpiękniej na półmisku.

Aby przygotować dressing, usuwamy pestki z mango, a miąższ przekładamy do blendera z pozostałymi składnikami. Rozdrabniamy, aż do uzyskania jedwabistej, gładkiej konsystencji.

Polewamy dressingiem owoce na półmisku i tuż przed podaniem posypujemy jadalnymi kwiatami – prawda, że piękne?

Wersja koktajlowa i lodowa...

Wszystkie owoce można rozdrobnić w blenderze na egzotyczny koktajl lub zamrozić, a następnie przygotować z nich sorbet lub granitę.

COLESLAW „SCARLET”

Tę wspaniałą surówkę coleslaw przyrządza się z zimowych owoców i warzyw, z dodatkiem Dressingu z cytrusów i buraków (patrz strona 128), dzięki któremu nabiera ona wszystkich odcieni szkarłatu. Sałatka świetnie się przechowuje w lodówce, nawet 4-5 dni i z czasem robi się coraz lepsza, ponieważ smaki się przegryzają i wzmacniają.

Ta surówka jest bogata w warzywa kapustne, zawiera też pełną przeciwutleniaczy żurawię i obniżające ciśnienie buraki.

½ kapusty włoskiej
250 g brukselki
1 garść natki pietruszki (zwykłej)
6-8 kumkwatów
1 obrana czerwona cebula
3 małe marchewki
2 duże jabłka odmiany braeburn
sok z 1 cytryny
1 garść suszonych żurawin
Dressing z cytrusów i buraków (patrz strona 128)

Szatkujemy kapustę i brukselkę na cienkie wiórki – możemy je bardzo cienko pokroić ręcznie lub wykorzystać odpowiednią tarczę robota kuchennego.

Natkę siekamy grubo, a kumkwaty i cebulę kroimy na cienkie plasterki. Marchew kroimy poprzecznie, na cienkie krążki (nie trzeba jej obierać, jeśli jest ekologiczna).

Jabłka kroimy na zapałkę, a następnie mieszamy z sokiem z cytryny, żeby nie sczerniały.

Wszystkie składniki, w tym żurawiny, przekładamy do miski i mieszamy, delikatnie potrząsając. Polewamy dressingiem z cytrusów i buraków, ponownie mieszamy. Jeśli odstawimy ją pod przykryciem na kilka dni do lodówki, tuż przed podaniem trzeba ją jeszcze raz wymieszać.

A może trochę sera...

Słodycz żurawiny, jabłek i cytrusów składających się na tę sałatkę doskonale uzupełni słonawy smak takich serów, jak feta czy kremowy ser kozi.

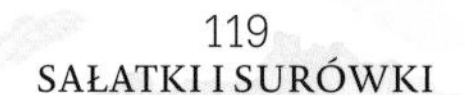

COLESLAW Z OWOCEM MĘCZENNICY

Ta sałatka jest pełna świeżych, kruchych i chrupiących pyszności, natomiast Dressing z męczennicy (patrz strona 128) dodaje jej tropikalnej słodyczy. Im dłużej pozwolimy jej przesiąkać smakiem dressingu, tym bardziej miękkie i miłe dla podniebienia staną się zawarte w niej surowe warzywa.

1 kapusta „bawole serce"
2 łodygi selera naciowego
3 duże szparagi, bez zdrewniałych części
3 dymki
1 marchewka, wyszorowana lub obrana
1 duże, zielone jabłko
Dressing z męczennicy (patrz strona 128)
sól i pieprz do smaku
miąższ z owocu męczennicy i drobne wiórki dymki do dekoracji

To danie jest bogate w błonnik i witaminę C – ważny składnik wzmacniający układ odpornościowy przez cały rok, ale szczególnie podczas zimnych miesięcy i okresu grypowego!

Kapustę, seler, szparagi i dymkę szatkujemy na cieniutkie plasterki, a marchew, jabłko (bez gniazda nasiennego) ścieramy na tarce. Wszystkie składniki mieszamy w misce, delikatnie potrząsając.

Sałatkę polewamy dressingiem z męczennicy, dobrze mieszamy i przyprawiamy do smaku solą i pieprzem. Można ją jeść od razu lub przechować w lodówce przez 1-2 dni, żeby warzywa zmiękły, a smaki się przegryzły i wzmocniły.

Przed podaniem jeszcze raz dobrze mieszamy i polewamy dodatkową porcją pulpy z męczennicy i posypujemy kilkoma wiórkami dymki.

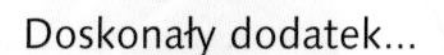

Doskonały dodatek...

Sałatka ta może być dodatkiem do pieczonego mięsa lub ziemniaków faszerowanych twarogiem.

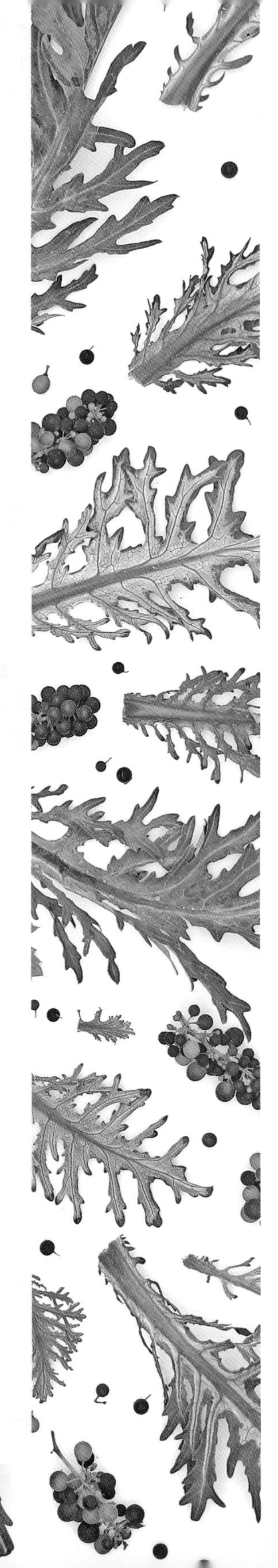

COLESLAW Z JARMUŻU

Kiedy byłam młodsza, jarmuż uprawiano przeważnie jako paszę dla bydła, ale teraz nie trzeba nikogo przekonywać o jego dobroczynnym działaniu jako superżywności. Jaki ten jarmuż wspaniały! Moją ulubioną odmianą jest jarmuż lacinato (*cavolo nero*), wspaniale nadający się na sok, koktajle z blendera czy też jako cudownie jedwabisty składnik najróżniejszych sałatek. Nie umiem się jednak powstrzymać przed wykorzystywaniem również bardziej dekoracyjnych odmian jarmużu – różowych, fioletowych, białych i karbowanych, które czasem wyglądają wręcz nierealnie.

W tej surówce liście jarmużu zostały porwane na kawałki, a delikatne części łodyg są bardzo drobno posiekane i zmieszane z garścią winogron.

Składniki są wystarczająco wytrzymałe, żeby można było wykorzystać dowolny ulubiony dressing – ja najbardziej lubię do tej sałatki Dressing z grillowanych cytrusów (patrz strona 129), Winegret z granatów (patrz strona 127) lub Dressing zielony śmietankowy (patrz strona 131).

Jarmuż jest niezwykle bogaty w przeciwutleniacz luteinę, która chroni dno oka przez promieniowaniem UV. Badania wykazują, że regularne spożywanie tego warzywa chroni oczy przed związaną z wiekiem degeneracją mięśni.

1 duży pęczek dowolnego jarmużu, np. lacinato
2 duże garście bezpestkowych czarnych winogron
Dressing z grillowanych cytrusów (patrz strona 129), Winegret z granatów (patrz strona 127) lub Dressing zielony śmietankowy (patrz strona 131).

Liściowe części jarmużu odrywamy od łodyg i bardzo drobno kroimy na cienkie paski (typu szyfonady, co świetnie się sprawdza przy każdym rodzaju jarmużu).

Delikatniejsze partie łodyg jarmużu odrywamy (bardziej zdrewniałe zostawiamy na sok) i bardzo, ale to naprawdę bardzo drobno siekamy.

Liście i siekane łodygi jarmużu łączymy w dużej misce z winogronami i polewamy wybranym dressingiem.

Doskonały dodatek i napój...

Ta sałatka jest wspaniałym dodatkiem do grillowanego mięsa lub ryby. Spróbujmy wycisnąć sok z jarmużu i winogron (słodycz winogron złagodzi goryczkę jarmużu), uzyskując „sałatkowy" napój.

SAŁATKA COLESLAW Z PAPAJĄ

Owocowa sałatka coleslaw składa się z dwóch rodzajów kapusty, dzięki czemu zyskuje zróżnicowaną fakturę, i zawiera papaję, nektarynki, natkę pietruszki i dymkę. Dodatkowej chrupkości (której nie traci pod wpływem soków) dodaje jej kilka garści kiełkowanej fasoli.

Sałatka ta świetnie znosi przewożenie, więc nadaje się na piknik, można ją też przyrządzić z wyprzedzeniem, do podania podczas rodzinnego grilla lub jako element szwedzkiego stołu.

Soki z owoców same w sobie stanowią dressing, ale jeśli chcemy dodać tradycyjny, śmietankowy dressing do sałatek coleslaw, wybierzmy Dressing ziołowy ogród (patrz strona 131) lub Mayo z surowych nerkowców (patrz strona 131).

1 kapusta włoska
1-2 małe kapusty „bawole serce"
1 garść natki pietruszki (niekarbowanej)
3-4 dymki
1 duża papaja
2-3 dojrzałe nektarynki
szczypta suszonych płatków chili
sól i pieprz do smaku

Ta sałatka dostarcza uderzeniowej dawki witaminy C (papaja zawiera jej więcej niż pomarańcze). Kapusta włoska jest zaś bogata w potrzebny kościom wapń.

Obie kapusty szatkujemy w cienkie wiórki, a natkę pietruszki i dymkę drobno siekamy. Przekładamy wszystko do dużej miski.

Papaję przekrawamy na pół i usuwamy pestkę; wyjmujemy pestki z nektarynek. Oba owoce kroimy w drobną kostkę i przekładamy do miski z pozostałymi składnikami, zachowując sok z owoców, z którego przyrządzimy prosty dressing.

Mieszamy składniki w misce, dodając płatki chili i zachowany sok, doprawiamy solą i pieprzem do smaku. Przed podaniem schładzamy sałatkę przez 30 minut, żeby kapusta zmiękła i smaki się przegryzły.

Warto wypróbować...

Wspaniałym dodatkiem do tej sałatki będą wszelkie mięsa z grilla lub grillowane warzywa, a także niebieski pleśniowy ser, którym można ją posypać.

Sosy i dressingi

DRESSINGI DO SAŁATEK

Przygotowane w domu dressingi są o wiele smaczniejsze niż te, które można kupić w sklepie – nie tylko wiemy, z czego się składają, lecz także możemy nieco podrasować ich skład, żeby lepiej odpowiadał naszym gustom i bardziej pasował do danej sałatki.

Dressingi nie muszą być skomplikowane... niekiedy wystarczy kilka kropel dobrej, tłoczonej na zimno oliwy z oliwek lub zwykłe wyciśnięcie soku z cytryny bądź limonki. W wypadku bardziej wymyślnych sałatek świetnym sposobem na podniesienie liściastej pyszności na wyżyny smaku jest luksusowa, wielosmakowa lub jaskrawo wybarwiona emulsja o nietypowym składzie. Dressing może też pełnić funkcję sosu, unifikującego różne smaki i elementy fakturowe sałatki oraz spajającego jej poszczególne składniki.

Zależnie od gustu dressingi można podawać w dowolnej temperaturze – gorące, ciepłe, w temperaturze pokojowej, zimne, a nawet lodowate – a każdy sos, salsę lub dip można rozcieńczyć i przemienić w idealny dressing. Domowe dressingi przygotowujemy, łącząc ze sobą bardzo proste lub bardzo skomplikowane zestawy smaków, bawiąc się przy tym kolorami. Świeża kurkuma nadaje dressingom piękny, żywy kolor, spirulina barwi je na jaskrawozielono, burak nadaje im odcienie magenty, a czarne jagody barwią je prawie na czarno.

Próbujmy też eksperymentować z różnymi posmakami – świeżym, delikatnym, pikantnym, kwaśnym, kremowym lub tłustym – a niezwykłe połączenia smaków, takie jak w Dressingu ze spiruliną (patrz strona 135) lub w mojej ekscentrycznej propozycji Winegretu z kawy (patrz strona 137) – jego interesująca, gorzkawa nuta wspaniale współgra z mocno aromatyczną zieleniną, pieczonymi warzywami i wszystkim, co zawiera chili. Stosujmy dressing wszędzie tam, gdzie chcemy podkreślić smak i aromat pozostałych składników, dodać przeciwwagę lub wydobyć kontrast.

Wspaniale jest też stosować dressingi o różnej konsystencji (gładka lub pełna niejednorodności) oraz gęstości (gęste lub rozrzedzone), zależnie od tego z jaką sałatką zamierzamy dany dressing podać (twarde liście/grubo krojone czy też delikatne liście/drobno krojone). Musimy się więc orientować, jaką strukturę i smak ma nasza sałatka i dressing. Ja lubię niekiedy przystroić sałatkę podwójnie – najpierw polewając liście lekkim winegretem, a następnie dodając drugi, cięższy i mocniejszy w smaku dressing. To może się wydawać trochę nietypowe, ale dobrze się sprawdza, gdy chcemy pogłębić smak i uatrakcyjnić misę zwyczajnej zieleniny.

Z DRESSINGIEM CZY BEZ?

To czy od razu przybrać sałatkę dressingiem czy dressing podać osobno jest w zasadzie sprawą gustu i osobistych preferencji, a także praktyki.

Niektóre sałatki – jak coleslaw czy takie, w których składzie znajdują się warzywa skrobiowe, jak np. marchew, słodkie ziemniaki czy dynie – zyskują, gdy się je wcześniej poleje dressingiem, natomiast sałatki składające się z delikatnych liści szybko więdną pod wpływem dressingu, więc należy dodać go tuż przed podaniem. Pozostałe sałatki – takie, które zawierają składniki soczyste, np. owoce – często w ogóle nie potrzebują dressingu. Dlatego kierujmy się w tym względzie własnym doświadczeniem i preferencjami.

PRZYGOTOWANIE PODSTAWOWEGO WINEGRETU

Ja najczęściej stosuję winegret. Wykorzystuję podstawowy przepis i po prostu wzbogacam go w składniki, które mam pod ręką, które uznam za odpowiadające aromatem przyrządzanej sałatce oraz takie, które w danym momencie odpowiadają moje smakowej fantazji. Zwykle stosuję 3 porcje oliwy na 1 porcję kwasu, ale równie dobrze może to być 1:1, żeby zmniejszyć zawartość tłuszczu w sałatce (okazuje się w takich proporcjach składniki równie łatwo tworzą emulsję). Podstawowy przepis podałam na stronie 126, jako Winegret mateczny.

Podczas przygotowania dressingu na bazie winegretu podstawową sprawą jest wybór oleju i kwasu. Niżej podaję te, których najczęściej używam w swoich dressingach.

- ❖ **Kwas:** ocet (zwykle jest to ocet jabłkowy lub ocet balsamiczny), sok cytrynowy lub inne soki owocowe bądź warzywne, w tym sok z buraków, pomidorów czy selera naciowego.
- ❖ **Olej:** tłoczona na zimno oliwa z oliwek, olej kokosowy, olej lniany, oleje smakowe, takie jak olej cytrynowy, olej z awokado, olej z chili, olej sezamowy lub olej z orzechów włoskich, a także oleje, którymi zalano owoce i warzywa, jak np. olej spod suszonych na słońcu pomidorów czy też pieczonej papryki.

PROFIL SMAKOWY DRESSINGU

Gdy już przygotuję Winegret mateczny (patrz strona 126), dodaję do niego różne składniki, żeby stworzyć taki profil smakowy, jakiego w danym momencie potrzebuję i jaki najlepiej pasuje do przyrządzanej właśnie sałatki. Może to być smak:

- ❖ **Słodki:** pasta daktylowa lub inne słodziki (stewia, syrop z agawy, miód, syrop klonowy, cukier kokosowy), melasa z granatów, ocet balsamiczny, dżem lub ćatni (chutney), cukier kokosowy, owoce, karmelizowana cebula, suszone na słońcu pomidory, świeże owoce i jagody, suszone owoce lub słodkie pikle.
- ❖ **Słony:** sól morska, sole smakowe, sos sojowy lub jego zamienniki, takie jak nama shoyu (sos sojowy niepasteryzowany), aminokwasy kokosowe, sos tamari, słone warzywa, takie jak seler naciowy, pomidory, łodygi boćwiny oraz glony (świeże lub suszone).
- ❖ **Kwaśny:** sok z cytrusów (cytrynowy, limonkowy lub pomarańczowy), trawa cytrynowa, rabarbar, jogurt, produkty fermentowane, takie jak kimchi (koreańskie kiszonki), kombucza (napój z grzybka herbacianego/japońskiego), kefir wodny (fermentowany napój z tzw. japońskich kryształów), kapusta kiszona lub maślanka.
- ❖ **Ostry/pikantny:** gorczyca, chili, imbir, czosnek, przyprawa harissa, chrzan lub wasabi.
- ❖ **Gorzki:** kawa, kakao, sok grejpfrutowy, sok z cytrusa yuzu lub piwo.
- ❖ **Umami:** suszone na słońcu pomidory, parmezan, glony morskie (świeże lub suszone), pasta sojowa miso, wędzone mięso, anchois lub suszone prawdziwki.

Można również wykorzystać moje sugestie co do powyższych smaków, aby za ich pomocą zrównoważyć lub wzmocnić smak dressingu. Oto one:

- ❖ **Smaki słone i umami:** równoważą goryczkę, a wzmacniają słodycz.
- ❖ **Smaki kwaśne:** równoważą ostrość i słodycz, a wzmacniają słoność.
- ❖ **Smaki słodkie:** równoważą kwaśność i goryczkę, a wzmacniają słoność.
- ❖ **Smaki gorzkie:** równoważą słodycz i słoność.
- ❖ **Smaki pikantne:** równoważą kwaśność i słodycz.

Jeśli więc skomponowaliśmy na przykład sałatkę niemal wyłącznie z gorzkiej cykorii lub nieco pikantnych liści rukoli, wybierzmy do niej dressing o lekko słodkiej nucie. Jeśli zaś nasza sałatka jest słodka i składa się głównie z owoców, dobierzmy do niej dressing lekko kwaśny lub słony... pomyślmy, jak wspaniale musi smakować dojrzały arbuz skropiony sokiem z cytryny i posypany odrobiną soli – cóż za doskonała równowaga smaków!

ŁĄCZENIE SKŁADNIKÓW

Jest wiele sposobów na połączenie ze sobą składników dressingu. Jeśli mam do dyspozycji podstawowy winegret, zwykle mieszam wszystko trzepaczką w pojemniku. Inne rodzaje dressingów lepiej się udają, gdy zastosuje się inne metody mieszania:

- ❖ potrząsanie wszystkimi składnikami w zakręconym słoiku
- ❖ rozdrabnianie w robocie kuchennym lub blenderze (dressingi na bazie oleju najlepiej emulgować właśnie tą metodą, przy czym olej wlewamy bardzo wolno)
- ❖ rozbijanie tłuczkiem w moździerzu (lub rozgniatanie, żeby dressing zawierał większe kawałki składników)
- ❖ wyciskanie soku (w ten sposób przyrządza się rozrzedzone dressingi czysto warzywne lub owocowe)
- ❖ dodawanie kolejno każdego składnika dressingu osobno do sałatki i mieszanie ich kolejno ze składnikami w misce tuż przed podaniem
- ❖ siekanie wszystkiego razem na desce (żeby uzyskać dressing z grubszymi cząstkami składników)

Pamiętajmy, że zależnie od tego, czy wybierzemy robota kuchennego czy blender, uzyskamy inną fakturę i inną konsystencję. Robot sieka i szatkuje składniki, natomiast blender rozdrabnia je na gładki lub prawie gładki sos (wszystko zależy od czasu rozdrabniania).

Inną metodą, z użyciem tylko jednej miski, jest przygotowanie dressingu w misce do sałatki, włożenie do niej skrzyżowanych sztućców do serwowania i usypanie kopczyka ze składników sałatki. Sztućce nie pozwolą składnikom opaść na dno, dzięki czemu nie zetkną się one z dressingiem zbyt wcześnie i zachowają chrupkość, aż do momentu podania. Dopiero tuż przed podaniem mieszamy wszystko razem, potrząsając miską.

JAK PRZYPRAWIĆ SAŁATKĘ DRESSINGIEM

Istnieje kilka sposobów przyprawiania sałatki dressingiem, ale z praktyki wiem, że w odniesieniu do większości sałatek z mieszanych liści najlepiej delikatnie wymieszać wszystko razem rękami lub potrząsnąć miską z sałatką, którą właśnie polaliśmy dressingiem. Do pozostałych sałatek bardziej nadają się inne metody, takie jak:

- skropienie sałatki dressingiem.
- „wmasowanie" dressingu w liście (szczególnie dobrze się sprawdza, gdy są one twarde i sztywne, np. liście jarmużu).
- nałożenie na wierzch sałatki, jak plamy farby (sprawdza się, gdy dressing jest gęsty i ciężki).
- spryskanie sałatki za pomocą napełnionego dressingiem atomizera lub spryskiwacza.
- wyciśnięcie z plastikowej butelki.
- wymieszanie z sałatką na długo przed podaniem (szczególnie wskazane dla sałatek typu coleslaw).
- skropienie sałatki warstwami, na przemian z jej kolejnymi składnikami.
- podanie w postaci „ziaren kawioru" w stylu kuchni molekularnej; ziarenka zawierają dressing i gdy gryziemy sałatkę, ziarenka pękają, uwalniając smak.
- zamrożenie, w stylu granity, a następnie zeskrobanie w stanie zamrożonym na wierzch sałatki.

CZY WIESZ, ŻE...

- Większość dressingów przyrządzonych w domu daje się przechować nawet przez tydzień w lodówce, w szczelnie zakręconym słoiku. Ja również z powodzeniem zamrażam gotowe dressingi w małych, zamykanych woreczkach lub na tackach do kostek lodu.
- Lubię mieć w lodówce słoik dressingu, dzięki czemu zawsze mogę przygotować coś do jedzenia w dziesięć minut – wystarczy polać dressingiem przygotowaną wcześniej zieleninę lub stosik startej marchwi bądź cukinii i już mamy pyszną sałatkę, która zaspokoi głód.
- Jeśli mamy wolnoobrotową wyciskarkę, próbujmy wyciskać całe, niewoskowane, ekologiczne cytryny – taki sok, dodany do dressingu nadaje mu niezwykły, cytrusowy aromat.
- Dodając sok cytrusowy do dressingu, nie marnujmy skórki (jeśli jest ekologiczna i niewoskowana), ponieważ zawiera ona mnóstwo aromatu. Skórkę ścieramy drobno i zamrażamy, jeśli nie mamy dla niej natychmiastowego zastosowania.
- Obrany ząbek czosnku, włożony na kilka godzin do słoika z dressingiem (a nawet na tydzień, gdy przechowujemy dressing w lodówce) nadaje tej przyprawie subtelny, czosnkowy aromat.
- Można zmienić konsystencję sosu winegret: spróbujmy zmieszać jego składniki spieniaczem do mleka, powstanie wówczas dressing w stylu sosu holenderskiego.
- Nie zapominajmy też odpowiednio przyprawić dressingu i dostosować jego profil smakowy do składników sałatki.

ny
słony
umami/słonawy
dodatki smakowe
y
gorzki
słodki

WINEGRET MATECZNY

Jest to mój przepis na bazę sosu winegret. Zwykle używam 3 porcji oleju/oliwy na 1 porcję kwasu, ale jeśli chcę zredukować ilość tłuszczu w przepisie, zmniejszam je do 1:1 albo w ogóle rezygnuję z oleju. Wystarczy bowiem bardzo dokładnie rozdrobnić pozostałe składniki w robocie kuchennym, żeby powstało coś w rodzaju emulsji.

2 łyżki soku z pomarańczy, cytryny, różowego grejpfruta lub octu jabłkowego bądź balsamicznego
1 łyżka drobno startej skórki z cytryny
1-2 łyżki miodu lub syropu klonowego bądź też 2 daktyle odmiany medjool bez pestek (moczone tak długo, aż rozmiękną), lub dowolnego innego słodzika
1-2 łyżki musztardy z całym ziarnem gorczycy
1 mała garść mieszanej, siekanej zieleniny – natka pietruszki, mięta, tymianek, majeranek, szczypiorek, bazylia, estragon i koperek – choć można też dodać jedno wybrane ziele, zamiast całej mieszanki.
6 łyżek tłoczonej na zimno oliwy z oliwek
sól i pieprz do smaku

Wszystkie składniki, z wyjątkiem oliwy, rozdrabniamy razem w robocie kuchennym. Stopniowo wlewamy przez lejek oliwę, gdy robot jest nadal włączony. Po minucie lub dwóch dressing powinien przybrać postać emulsji i zgęstnieć, trzeba go wówczas spróbować i doprawić do smaku. Tak przygotowany dressing można przechować w lodówce w szczelnie zakręconym słoiku tydzień lub nawet dwa.

WARIANTY

❖ Winegret estragonowy: zamiast mieszanki ziół bierzemy 2 łyżki siekanego estragonu i łączymy z pozostałymi, podanymi wyżej składnikami Winegretu matecznego.
❖ Winegret ziołowy: zamiast podanej wyżej mieszanki zielenin dodajemy do dressingu 2 łyżki siekanych ziół, które naszym zdaniem najlepiej pasują do wybranej sałatki, i łączymy z resztą podanych wyżej składników.
❖ Winegret wiśniowy: zamiast mieszanki zielenin bierzemy 150 g świeżych, wydrylowanych wiśni i łączymy z resztą podanych wyżej składników.
❖ Winegret cytrynowo-szalotkowy: dodajemy 2-3 łyżki soku z cytryny, 1 łyżkę drobno startej skórki z cytryny i 1 drobno siekaną szalotkę, łączymy z resztą podanych wyżej składników.

Od góry do dołu:
Winegret z granatów, Winegret kawowy, Winegret ze słodką wędzoną papryką

WINEGRET Z GRANATÓW

Słodko-kwaśny dressing doskonale pasuje do mniej delikatnych sałatek, takich jak Coleslaw z jarmużu (patrz strona 120), Sałatka z cykorii i brukselki (patrz strona 91) lub Sałatka warzywna posypana surowymi grzybami (patrz strona 79).

1 łyżka melasy z granatów
lub 3 łyżki soku z granatów
1 łyżka octu z czerwonego wina
2 łyżki tłoczonej na zimno oliwy z oliwek
1 łyżka pasty z daktyli lub dowolnego słodzika
2 łyżki ziaren granatu
sól i pieprz do smaku

Wszystkie składniki, z wyjątkiem ziaren granatu, rozdrabniamy razem blenderem na gładką masę. Tuż przed podaniem dodajemy ziarna granatu, przyprawiamy do smaku.

WINEGRET KAWOWY

Ekscentryczny winegret doskonale pasuje do mocno aromatycznej zieleniny lub pieczonych warzyw, a także do każdej sałatki zawierającej w składzie orzechy włoskie, chili lub wołowinę.

1 łyżeczka espresso instant lub zmielonego espresso
2 łyżki tłoczonej na zimno oliwy z oliwek
2 łyżki octu z czerwonego wina
1 łyżeczka pasty z daktyli lub dowolnego słodzika
sól i pieprz do smaku

Wszystkie składniki mieszamy trzepaczką, aż kawa się rozpuści – jeśli używamy mielonej kawy, odstawmy dressing na co najmniej 30 minut lub nawet na noc, żeby smaki się wzmocniły. Przed podaniem dressing przecedzamy, żeby pozbyć się drobinek kawy i przyprawiamy do smaku. Można przyozdobić całymi ziarnami kawy.

WINEGRET POMARAŃCZOWY

Pikantny dressing w jaskrawym kolorze ożywi Sałatkę z pomidorów i karczochów (patrz strona 85). Jeśli chcemy, żeby posmak czosnku był delikatniejszy, zamiast ścierać czosnek, włóżmy do gotowego dressingu cały ząbek na 10-20 minut.

2 łyżki tłoczonej na zimno oliwy z oliwek
drobno starta skórka i sok z 1 pomarańczy
1 mały, obrany ząbek czosnku
sól i pieprz

Oliwę, skórkę i sok z pomarańczy oraz przyprawy mieszamy razem trzepaczką, a następnie dodajemy drobno starty czosnek.

WINEGRET ZE SŁODKĄ WĘDZONĄ PAPRYKĄ

Wędzona papryka nadaje temu dressingowi ciekawy, głęboki smak. Można go podawać do Sałatki z endywii i fig (patrz strona 67) lub z każdą sałatką na bazie marchewki. Wspaniale pasuje też do kuskusu, komosy ryżowej (quinoa) lub pieczonych warzyw.

1 obrana szalotka
1 mała gałązka rozmarynu
2 łyżki tłoczonej na zimno oliwy z oliwek lub
olej ze słoika z pieczoną papryką
1 łyżka octu z czerwonego wina
1 łyżka słodkiej wędzonej papryki
szczypta suszonych płatków chili
sól

Szalotkę i igiełki rozmarynu drobno siekamy, a następnie mieszamy razem z pozostałym składnikami, aż do uzyskania jednolitej konsystencji. Przyprawiamy do smaku.

DRESSING Z CHRUPKIEGO WĘDZONEGO BEKONU

To jeden z dressingów, którym zwykle kuszę wszelkich zdeklarowanych „przeciwników surówek", a jeśli tuż dodamy pokruszony bekon lub pancettę tuż przed podaniem, dłużej zachowają chrupkość. Ponadto, przyprawioną nim sałatkę można jeszcze posypać pokruszonym niebieskim serem pleśniowym, z którym tworzy pyszne połączenie. Wypróbujmy ten wariant do Sałatki z kolorowych buraków liściowych i czarnej rzodkwi (patrz strona 61).

4-5 cienkich plaserków bekonu
lub pancetty
1 duża, obrana szalotka
1 mały, obrany ząbek czosnku
2 łyżeczki octu jabłkowego
½ łyżeczki musztardy z całą gorczycą (lub Dijon)
1 łyżeczka syropu z daktyli lub innego słodzika
2 łyżki tłoczonej na zimno oliwy z oliwek

Bekon lub pancettę podsmażamy na suchej, nieprzywierającej patelni, aż będą złociste i chrupiące. Zdejmujemy z patelni i osączamy z tłuszczu na ręczniku papierowym. Studzimy.

Szalotkę i czosnek siekamy drobno, przekładamy na patelnię i delikatnie podsmażamy w tłuszczu z bekonu, aż zmiękną i lekko zbrązowieją. Zdejmujemy z ognia i przekładamy do miski.

Do tej samej miski wlewamy ocet, dodajemy musztardę i syrop z daktyli, mieszamy trzepaczką do połączenia składników, powoli wlewając przy tym oliwę, żeby dressing przyjął postać emulsji. Na koniec, tuż przed podaniem, kruszymy bekon lub pancettę i wsypujemy do dressingu.

DRESSING Z LIMONKĄ I IMBIREM

Dodanie do dressingu świeżego imbiru nadaje mu ciepły, pikantny smak. W połączeniu z cytrusami powstaje zaś wspaniały, energetyzujący dodatek do zimowych sałatek. Pasuje do Sałatki z fig i granatów (patrz strona 29).

2 duże marchewki, wyszorowane lub obrane
1 kawałek obranego imbiru długości 1 cm
1 mała, obrana szalotka
sok z 1 limonki
sól i pieprz do smaku

Marchew, imbir i szalotkę rozdrabniamy z sokiem z limonki i 2 łyżkami wody w blenderze na dużych obrotach, aż do uzyskania gładkiej, kremowej konsystencji. Przyprawiamy do smaku.

DRESSING Z MĘCZENNICY

Ten dressing nadaje sałatkom tropikalną słodycz i ciekawą fakturę. Szczególnie dobrze pasuje do sałatki Coleslaw z owocem męczennicy (patrz strona 119).

3 owoce męczennicy (passiflora)
drobno starta skórka i sok z 1 dużej pomarańczy
2 łyżki tłoczonej na zimno oliwy z oliwek
1 łyżka nasion maku
sól i pieprz do smaku

Miąższ owoców męczennicy wydrążamy łyżką i przekładamy do miski. Skórkę i sok z pomarańczy mieszamy trzepaczką z oliwą, a następnie dodajemy miąższ męczennicy i mak. Dokładnie mieszamy. Przyprawiamy do smaku.

DRESSING Z KLEMENTYNEK I BURAKÓW

Uwielbiam dodawać ten pyszny, owocowy, pięknie zabarwiony dressing do sałatki Coleslaw „Scarlet" (patrz strona 118), a także do Sałatki z endywii i fig (patrz strona 67).

1 duży burak, wyszorowany lub obrany
4-5 obranych klementynek
drobno starta skórka z 1 cytryny
sól i pieprz do smaku

Z buraka i klementynek wyciskamy sok, mieszamy go ze skórką cytrynową i szczyptą przypraw.

(Jeśli nie mamy wyciskarki ani sokowirówki, można zetrzeć buraka na grubej tarce i dodać do sałatki – kolor stopniowo przejdzie na inne składniki i uzyskamy taki sam efekt. Następnie wyciskamy sok z klementynek wprost na sałatkę i posypujemy wszystko skórką cytrynową i szczyptą przypraw).

DRESSING Z SYROPEM KLONOWYM, CYTRYNĄ I IMBIREM

Delikatna słodycz tego dressingu świetnie komponuje się z goryczką sałatek z twardych zielenin lub bardziej włóknistych składników, jak np. Sałatka ze słodkich ziemniaków i groszku (patrz strona 73).

2 cytryny meyera, wyciśnięte w całości w wyciskarce lub 1 zwykła, niewoskowana cytryna zmieszana z 1 niewoskowaną mandarynką/klementynką
3 małe, obrane szalotki
1 czubata łyżeczka musztardy z całą gorczycą
1-2 łyżeczki syropu klonowego lub innego słodzika
1 kawałek obranego imbiru długości 1 cm
1-2 łyżki tłoczonej na zimno oliwy z oliwek
szczypta suszonych płatków chili
sól i pieprz do smaku

Wszystkie składniki rozdrabniamy razem w robocie kuchennym, aż powstanie gęsta emulsja. Przyprawiamy do smaku.

DRESSING ZIELONY

Świeżo wyciśnięte soki z zielenin stanowią wspaniały, pozbawiony tłuszczu dressing. Możemy nie dodawać czosnku, jeśli nie lubimy go na surowo, albo zamienić go na szczypiorek, dymkę lub szalotkę – uzyskamy wtedy lekko cebulowy posmak. Dressing pasuje do Sałatki zielone na zielonym (patrz strona 81).

1 duży ogórek
1 mały pęczek natki pietruszki, bazylii lub kolendry
1 garść zielenin o ciemnych liściach – jarmuż, szpinak lub boćwina
1 sałata rzymska lub 2-3 sałaty little gem
kawałek obranego, świeżego imbiru długości 2,5 cm
sok z 1 cytryny
½ obranego ząbka czosnku
sól i pieprz do smaku

Wszystkie składniki przepuszczamy przez wyciskarkę lub rozdrabniamy w robocie kuchennym z dodatkiem 100 ml wody. (Po rozdrobnieniu, przecedzamy uzyskaną masę przez sito). Przyprawiamy solą i pieprzem do smaku i zużywamy w ciągu 30 minut od przygotowania, żeby soki nie straciły odżywczych wartości.

Od lewej do prawej: Dressing z grillowanych cytrusów, Dressing z pieczonej czerwonej papryki, Dressing z klementynek i buraków, Dressing z męczennicy, Dressing zielony

DRESSING Z PIECZONEJ CZERWONEJ PAPRYKI

Papryka nabiera po upieczeniu wspaniałej, głębokiej słodyczy i nieco wędzonego posmaku, a po rozdrobnieniu jej z czosnkiem, bazylią i cytryną powstaje magiczny dressing, doskonale pasujący do mięs, ryb i świeżych lub gotowanych warzyw. Spróbujmy dodać ten dressing do „Taco" z sałaty little gem (patrz strona 49), zamiast salsy z awokado i papryki lub do Sałatki z edamame (patrz strona 57).

4-5 dużych pieczonych, czerwonych lub pomarańczowych papryk (mogą być też papryki ze słoika)
1 mały, obrany ząbek czosnku
1 mała garść liści bazylii
sok z 1 cytryny
sól i pieprz do smaku

Wszystkie składniki dokładnie rozdrabniamy, aż do uzyskania gładkiej, kremowej konsystencji. Przyprawiamy do smaku.

DRESSING ROSE HARISSA

Przyprawa rose harissa ma wspaniały smak i aromat słodkich, wędzonych chili, pikantnych przypraw i płatków róży, a przyprawiony nią dressing wspaniale pasuje do sałatek i zup, a także potraw z kuskusu, komosy ryżowej (quinoa), ryżu i makaronu. Podajmy go ze Słodko-kwaśnym „makaronie" warzywnym (patrz strona 84) lub z Sałatką warzywną posypaną surowymi grzybami (patrz strona 79).

1 łyżka pasty rose harissa
2 łyżki tłoczonej na zimno oliwy z oliwek
1 łyżka octu z czerwonego wina
1 łyżeczka syropu klonowego lub innego słodzika
sól i pieprz do smaku

Wszystkie składniki mieszamy trzepaczką i przyprawiamy do smaku.

DRESSING ZE SŁODKIEJ CHILI I CYTRYNY

Ten prosty i bardzo szybki w przygotowaniu dressing wzbogaca sałatki nutą słodyczy, nadając przy tym kwaśno-pikantny posmak. Podajemy go z Sałatką zielone na zielonym (patrz strona 81) lub Sałatką z kalafiora (patrz strona 45). Jeśli chcemy zwiększyć ostrość, dodajmy do niego jedną drobno siekaną świeżą chili.

1 dymka
2 łyżki sosu ze słodkich chili lub galaretki z chili
1 łyżka soku z cytryny lub octu jabłkowego
2 łyżki tłoczonej na zimno oliwy z oliwek
sól i pieprz do smaku

Dymkę siekamy drobno i mieszamy z resztą składników. Przyprawiamy do smaku.

DRESSING Z GRILLOWANYCH CYTRUSÓW

Owoce cytrusów nabierają po zgrillowaniu lub upieczeniu niezwykłego aromatu, ponieważ stają się słodsze i mają delikatnie wędzony smak. Zrobiony z nich dressing świetnie smakuje z kilkoma goździkami lub z dodatkiem kilku ząbków zgniecionego i podsmażonego czosnku. Dressing ten świetnie pasuje do Sałatki „truflowej" z awokado (patrz strona 27) lub sałatki „Coleslaw" z jarmużu (patrz strona 120).

2 duże, przekrojone na pół pomarańcze
2 przekrojone na pół cytryny
125 ml tłoczonej na zimno oliwy z oliwek
1 łyżeczka musztardy dijon lub innej z całą gorczycą
1 łyżeczka syropu klonowego lub innego słodzika
sól i pieprz do smaku

Cytrusy kładziemy przekrojoną powierzchnią na ruszcie do barbecue lub przekrojoną powierzchnią do góry na blasze do pieczenia i wkładamy pod grill w piekarniku, czekamy, aż zaczną brązowieć i się karmelizować. Wówczas odkładamy je na bok. Gdy wystygną na tyle, że można je wziąć w rękę, wyciskamy z nich sok i miąższ do miski. Dodajemy pozostałe składniki i mieszamy trzepaczką, aż powstanie emulsja. Przyprawiamy do smaku.

DRESSING Z SUSZONYCH NA SŁOŃCU POMIDORÓW

Suszone na słońcu pomidory nadają sałatkom wspaniały słonawy smak umami. Świetnie wzbogacają je pomidorowym aromatem, zwłaszcza Sałatkę z awokado, pomidorów i sałaty liściowej (patrz strona 38), a ich słodycz dobrze pasuje do naturalnie słonego posmaku Sałatki z chińskiej kapusty i solirodu (patrz strona 28).

100 g suszonych na słońcu pomidorów w oleju
3 łyżki tłoczonej na zimno oliwy z oliwek
(lub olej ze słoika z suszonymi pomidorami)
1 łyżeczka musztardy z całą gorczycą
1 łyżeczka pasty daktylowej lub innego słodzika
2 łyżki jasnego octu balsamicznego
1 łyżeczka słodkiej wędzonej papryki
sól i pieprz do smaku

Wszystkie składniki mieszamy razem w blenderze, aż się połączą, ale nie rozpadną na gładką masę. Przyprawiamy do smaku.

DRESSING Z BURAKÓW I KOZIEGO SERA

Ziemista słodycz buraków dobrze pasuje do słonego smaku koziego sera. Gdy się połączy te dwa składniki, powstaje pyszny dressing w pięknym różowym kolorze. Można go użyć do Sałatki z edamame (patrz strona 57) lub Sałatki z boćwiny i pomidorów (patrz strona 83), zamiast dressingu pomidorowego.

3-4 duże surowe buraki, wyszorowane lub obrane
150 g koziego sera
1 obrany ząbek czosnku
drobno starta skórka i sok z 1 cytryny
szczypta marokańskiej przyprawy ras-el-hanout
1 mała garść mieszanej, siekanej zieleniny – koperek, oregano i tymianek
sól i pieprz do smaku

Buraki kroimy na duże kawałki i gotujemy (można je upiec, ugotować na parze lub zgrillować), aż będą miękkie.

Przekładamy do miski robota kuchennego, dodajemy pozostałe składniki i dolewamy 2-3 łyżki wody. Rozdrabniamy, aż wszystko nabierze konsystencji dressingu. Jeśli trzeba, rozrzedzamy dodatkowym sokiem z cytryny lub wodą, przyprawiamy do smaku.

DRESSING ZIELONY ŚMIETANKOWY

Jest to lekki dressing o świeżym smaku, który pasuje do dowolnej sałatki z gotowanych warzyw lub zielenin, a także sałatek zawierających w swoim składzie jaja, rybę lub kurczaka. Użyjmy go do Sałatki z „makaronu" z ogórka z surowym kremem szafranowym (patrz strona 71) zamiast Surowego kremu szafranowego lub do sałatki Coleslaw z jarmużu (patrz strona 120).

1 mały pęczek rzeżuchy lub rukoli
2 łyżki majonezu
2 łyżki naturalnego jogurtu lub kwaśnej śmietany
2 filety anchois
drobno starta skórka i sok z 1 cytryny
1 mała garść mieszanej siekanej zieleniny, jak np. szczypiorek, koperek, natka pietruszki i bazylia
sól i pieprz do smaku

Wszystkie składniki przekładamy do blendera i rozdrabniamy na jedwabiście gładki sos. Przyprawiamy do smaku.

DRESSING ZIOŁOWY OGRÓD

Bezmleczny, pożywny i kremowy dressing w stylu majonezowym dobrze pasuje do sałatki „Coleslaw" z jarmużu (patrz strona 120), Prostej surówka z marchewki (patrz strona 95) lub Chrupiącej sałatki z marchewki i buraka (patrz strona 53), zamiast mayo z surowych nerkowców .

200 g orzechów nerkowca
drobno starta skórka i sok z 1 dużej cytryny
1 dymka (bez szczypioru)
1 łyżeczka pasty daktylowej lub innego słodzika
szczypta pieprzu cayenne
2 łyżeczki oleju z orzechów włoskich
1 mała garść mieszanej, siekanej zieleniny, jak szczypiorek, natka pietruszki, koperek, bazylia i kolendra
sól i pieprz do smaku

Orzechy nerkowca moczymy w wodzie ok. 8 godzin lub przez noc, aż zmiękną. Dzięki temu łatwiej dadzą się rozdrobnić do konsystencji kremu.

Osączamy je z wody i przekładamy do blendera na dużych obrotach, razem ze skórką i sokiem z cytryny, dymką, pastą daktylową, pieprzem cayenne, olejem orzechowym i 250 ml wody. Rozdrabniamy na gładką, kremową masę.

Jeśli trzeba, rozcieńczamy ją małą ilością wody, dodajemy posiekaną zieleninę i przyprawiamy do smaku.

MAYO Z SUROWYCH NERKOWCÓW

Ten pożywny i kremowy majonez z surowych nerkowców doskonale nadaje się do przyprawienia cieniutko krojonych świeżych warzyw, np. Chrupiącej sałatki z marchewki i buraków (patrz strona 53) lub Sałatki waldorf (patrz strona 39). Można go doprawić świeżymi ziołami, musztardą, odrobiną czosnku lub w dowolny inny sposób, jaki nam podpowie fantazja.

200 g orzechów nerkowca
drobno starta skórka i sok z 1 cytryny
1 dymka (bez szczypioru)
1-2 daktyle odmiany medjool, bez pestek
2 łyżeczki oleju z orzechów włoskich lub pestek winogron
sól i pieprz do smaku

Orzechy nerkowca moczymy w wodzie ok. 8 godzin lub przez noc, aż zmiękną. Dzięki temu łatwiej dadzą się rozdrobnić do konsystencji kremu.

Osączamy je z wody, płuczemy i przekładamy do blendera na dużych obrotach, razem ze skórką i sokiem z cytryny, dymką, pastą daktylową, pieprzem cayenne, olejem orzechowym lub z pestek winogron i 200 ml wody.

Rozdrabniamy na dużej prędkości na gładką, kremową masę, o konsystencji bardzo gęstej śmietany. Przyprawiamy do smaku. Jeśli chcemy, możemy nieco dressing rozrzedzić.

Przekładamy mayo do słoika lub szczelnego pojemnika i przechowujemy w lodówce lub w zamrażarce.

HUMUS Z CZERWONEJ PAPRYKI

Sos ten można podawać jako dressing do sałatek lub surowy dip. Jeśli chcemy nim polać sałatkę, trzeba go rozrzedzić, dodając nieco wody. Dobrze pasuje do Sałatki zielone na zielonym (patrz strona 81) lub Sałatki ze słodkich ziemniaków i groszku (patrz strona 73).

1 mała cukinia
150 g skiełkowanej ciecierzycy lub innych kiełków
1 obrany ząbek czosnku
2 łyżeczki sezamu
drobno starta skórka i sok z 1 dużej cytryny
sól i pieprz do smaku

Cukinię obieramy i przekładamy do robota kuchennego z resztą składników i 100 ml wody. Rozdrabniamy na gładką masę, przyprawiamy do smaku i – jeśli trzeba – rozcieńczamy odrobiną wody.

PESTO, WERSJA PODSTAWOWA

Jeśli chodzi o dressingi, to pesto jest jak wierny i krzepki przyjaciel. Lubię rozcieńczyć je odrobiną soku z cytryny, octem jabłkowym lub innymi nadającymi się do dressingów „rozcieńczalnikami" i już mam sos, którym mogę przyprawić sałatkę lub gotowane na parze albo pieczone warzywa.

Pesto nie musi składać się wyłącznie z bazylii, orzeszków piniowych, czosnku i parmezanu. Bazylię można zastąpić dowolnymi ziołami o miękkich liściach lub inną zieleniną, jak szpinak, młode listki pokrzywy, jarmuż lub młoda kapusta. Podobnie, zamiast orzechów piniowych dajemy pistacje, orzechy brazylijskie, migdały, prażone orzeszki ziemne, orzechy włoskie czy pestki słonecznika. Można też przyrządzić pesto czerwone – z pomidorami, pieczoną papryką i chili. Dodajmy też tarty ser lub kremowy ser kozi, fetę lub... możliwości są wręcz nieograniczone!

3 łyżki orzeszków piniowych, migdałów, pistacji, nerkowców lub pestek dyni albo dowolnych innych nasion czy orzechów
1 obrany ząbek czosnku lub 1 obrana szalotka, lub 1 dymka (bez szczypioru)
1 mała garść liści bazylii, kolendry, mięty, estragonu, natki pietruszki, rukoli, cavolo nero (jarmuż lacinato) lub dowolnej zieleniny
2 łyżki tartego parmezanu
1 łyżeczka soku z cytryny (żeby zachować zielony kolor)
4 łyżki tłoczonej na zimno oliwy z oliwek plus trochę do zalania w słoiku
sól

Orzechy lub nasiona rozdrabniamy w blenderze. Dodajemy bazylię lub inną zieleninę i parmezan. Ponownie rozdrabniamy, aż powstanie sos z niecałkiem rozdrobnionymi kawałkami składników.

Przekładamy go do zakręcanego szczelnie słoika, zalewamy z wierzchu oliwą i przechowujemy w lodówce do tygodnia.

PESTO Z MŁODEJ KAPUSTY I JARMUŻU

To przepyszne pesto z superzdrowej zieleniny doskonale smakuje bez parmezanu. Orzeszki ziemne można zastąpić migdałami, orzechami makadamia lub laskowymi. Sos pasuje do Sałatki „truflowej z awokado (patrz strona 27), Sałatki z dyni odmian letnich (patrz strona 37) lub Kruchej sałatki z zimowych warzyw (patrz strona 75).

1 pęczek liści młodej kapusty niegłowiastej lub kapusty warzywnej pastewnej
1 mały pęczek liści jarmużu lacinato (cavolo nero)
3 obrane ząbki czosnku
30 g tartego parmezanu
3 łyżki tłoczonej na zimno oliwy z oliwek plus dodatkowa ilość do zalania w słoiku
40 g niesolonych orzeszków ziemnych
drobno starta skórka i sok z 1 cytryny
sól i pieprz do smaku

Liście kapusty i jarmużu odrywamy od twardych łodyg. Blanszujemy we wrzątku przez mniej więcej minutę, aż zmiękną i zaczną pachnieć, a następnie osączamy i osuszamy papierowym ręcznikiem.

Zieleninę siekamy grubo (z łodyg można wycisnąć sok do picia) i przekładamy do robota kuchennego razem z pozostałymi składnikami i rozdrabniamy tak drobno, jak chcemy. Przyprawiamy do smaku i jeszcze chwilę rozdrabniamy.

Przekładamy pesto do zakręcanego szczelnie słoika, zalewamy z wierzchu oliwą i przechowujemy w lodówce do 1 tygodnia.

CYTRYNOWA SALSA VERDE

Jaskrawy w kolorze, świeży i orzeźwiający dressing wspaniale pasuje do Sałatki z rzodkiewki, buraka i pomarańczy (patrz strona 35) oraz Sałatki z awokado, pomidorów i sałaty liściowej (patrz strona 38) lub jako sos do grillowanego kurczaka bądź ryby.

drobno starta skórka i sok z 1 cytryny
1 obrana szalotka
1 obrany ząbek czosnku
1 garść mieszanej, siekanej zieleniny, jak natka pietruszki, szczypiorek, kolendra, mięta i koperek
100 ml tłoczonej na zimno oliwy z oliwek
sól i pieprz do smaku

Skórkę cytrynową, szalotkę, czosnek i zioła przekładamy do blendera, wlewamy sok z cytryny. Rozdrabniamy krótko, na grubsze kawałki, a następnie stopniowo wlewamy przez lejek oliwę z oliwek, nadal rozdrabniając, aż powstanie odpowiednio w miarę gładki dressing. Przyprawiamy do smaku.

DRESSING W STYLU GREMOLATA

Gremolata jest popularną włoską przyprawą z ziół i cytryny, ale podany niżej przepis przekształca ją w odświeżający, pikantny sos, który świetnie pasuje do Sałatki z dyni odmian letnich (patrz strona 37).

drobno starta skórka i sok z 1 cytryny i 1 limonki
2-3 łyżki tłoczonej na zimno oliwy z oliwek
1 garść mieszanej, siekanej zieleniny, jak szczypiorek, mięta, bazylia i koperek
1-2 łyżeczki pasty daktylowej lub innego słodzika
1 mała zielona chili bez pestek (niekoniecznie)
sól i pieprz do smaku

Wszystkie składniki rozdrabniamy w blenerze o wysokiej prędkości lub w robocie kuchennym, albo mieszamy trzepaczką na gładką masę. Przyprawiamy do smaku.

DRESSING POMIDOROWY

Dressing ten wspaniale pasuje do Sałatki z boćwiny i pomidorów (patrz strona 83), lecz można go także użyć jako sos do warzywnego „makaronu", a także jako surowego keczupu. Jeśli wszystkie składniki mają być surowe, jako słodzika użyjmy pasty daktylowej i nie dodawajmy musztardy.

300 g pomidorków koktajlowych
1 duża czerwona papryka
2 obrane szalotki
1 duży obrany ząbek czosnku
1 garść mieszanej, siekanej zieleniny, jak bazylia, natka pietruszki i oregano
1 łyżeczka pasty daktylowej lub syropu klonowego
1 łyżeczka musztardy z całą gorczycą
drobno starta skórka i sok z 1 cytryny
sól i pieprz do smaku

Pomidory i papryki oczyszczamy z pestek i grubo siekamy. Wszystkie składniki rozdrabniamy w robocie kuchennym, aż masa będzie płynna, ale nie całkiem gładka. Przyprawiamy do smaku.

DRESSING W STYLU AZJATYCKIM

Pasta miso wzmacnia smak tego słodko-kwaśno-pikantnego dressingu. Dobrze pasuje on do dowolnego dania z warzywnymi „kluskami" – można go podać do Warzywnego „makaronu" (patrz strona 93) zamiast Sosu kososowo-curry, do Carpaccio z buraka ćwikłowego (patrz strona 47) lub do Sałatki z mango, buraka, jarmużu i rzodkiewki (patrz strona 109).

1 kawałek świeżego obranego imbiru długości 1 cm
1 obrany ząbek czosnku
2 łyżki oleju sezamowego
drobno starta skórka i sok z 1 limonki
2 daktyle odmiany medjool, bez pestek
2 łyżki pasty miso
2 łyżki sosu sojowego

Imbir i czosnek ścieramy na tarce. Wszystkie składniki rozdrabniamy razem z 2 łyżkami wody, w blenderze o wysokiej prędkości lub robocie kuchennym, aż się dokładnie połączą.

DRESSING ARACHIDOWY W STYLU SATAY

Gotowe masło orzechowe jest sprytnym skrótem, pozwalającym szybko przygotować pyszny dressing, ale można oczywiście zrobić własną pastę, rozdrabniając w blenderze zblanszowane lub prażone orzeszki ziemne z odrobiną oliwy. Taki dressing dobrze pasuje do prostej Sałatki z „makaronu" z marchwi (patrz strona 89).

3 łyżki ekologicznego masła orzechowego lub pasty sezamowej (tahini)
3 łyżki soku pomarańczowego
sól i pieprz do smaku

Wszystkie składniki mieszamy w misce trzepaczką z dodatkiem 1 łyżki wody. Przyprawiamy do smaku.

DRESSING Z IMBIRU I WASABI

Ten dressing bardzo ożywia smak prostych surówek, takich jak np. Sałatka z kolorowych buraków liściowych i czarnej rzodkwi (patrz strona 61).

1 kawałek świeżego obranego imbiru długości 2,5 cm
1 łyżka soku z limonki
2 łyżki tłoczonej na zimno oliwy z oliwek
1-2 łyżki pasty wasabi

Imbir ścieramy na tarce i mieszamy z resztą składników, dodając pastę wasabi do smaku.

DRESSING MAROKAŃSKI

Aromatyczny dressing zawiera pyszną marokańską mieszankę ras-el-hanout, na którą składa się co najmniej 20 różnych przypraw. Ta, której ja używam, zawiera czarny pieprz, alpinię, imbir, kardamon, cayenne, ziele angielskie, czarnuszkę, cynamon, cynamonowiec chiński (cassia), kolendrę, gałkę muszkatołową, goździki, kwiat muszkatołowy (macis), lawendę i suszone pączki różane. Ma przy tym przepiękny zapach i rozgrzewający smak. Dressing ten najlepiej pasuje do Sałatki w stylu bliskowschodnim (patrz strona 51).

1½ łyżeczki ras-el-hanout plus dodatkowa ilość do podania
3 łyżki oleju z orzechów włoskich lub pistacji
sok z 1 cytryny
1-2 łyżeczki pasty daktylowej lub innego słodzika
1 mała czerwona chili bez pestek (niekoniecznie)
sól i pieprz do smaku

Wszystkie składniki rozdrabniamy w blenderze o wysokiej prędkości lub w robocie kuchennym. Można je też zmieszać trzepaczką ręcznie. Jeśli podczas rozdrabniania będziemy powoli wlewać olej, to uzyskamy gęstą emulsję.

Przyprawiamy dressing do smaku, a następnie przykrywamy i przechowujemy w lodówce do czasu, aż zechcemy go użyć (nawet do 1 tygodnia). Podajemy ozdobiony np. całymi nasionami anyżu gwiazdkowego i posypany ras-el-hanout.

DRESSING ZA'ATAR

Za'atar jest bliskowschodnią mieszanką przypraw. Składają się nań: tymianek, oregano, sumak i sezam. Nadaje dressingom odświeżający, pikantny smak. W tym przepisie połączyłam za'atar z chili, sokiem z cytryny i olejem sezamowym, dzięki czemu powstał dressing bardzo dobrze pasujący do Sałatki z gniecionych ogórków (patrz strona 74).

2 łyżki oleju sezamowego
2 łyżki soku z cytryny
1-2 łyżeczki przyprawy za'atar
1-2 czerwone chili bez pestek (dajemy tyle, żeby dressing nam smakował)
sól i pieprz do smaku

Mieszamy olej, sok z cytryny i za'atar. Chili siekamy drobno i dodajemy do emulsji. Przyprawiamy do smaku.

KREMOWY DRESSING Z KURKUMĄ

Kremowy, żółty dressing nadaje sałatkom piękny kolor, a przy tym ma silne właściwości przeciwzapalne oraz wiele innych, korzystnych dla zdrowia. A wszystko to dzięki świeżej kurkumie. Wygląda i świetnie smakuje z Sałatką z cukinii i buraka pasiastego (patrz strona 69).

100 g orzechów nerkowca
1 kawałek świeżego korzenia kurkumy długości 2,5 cm lub 2 łyżeczki sproszkowanej kurkumy
1 łyżeczka octu jabłkowego
sól i pieprz do smaku

Orzechy nerkowca rozdrabniamy razem z innymi składnikami i 100 ml wody w blenderze o wysokiej prędkości, aż do uzyskania gładkiej konsystencji. (Jeśli nasz blender nie jest wystarczająco mocny, można najpierw wycisnąć sok z kurkumy lub użyć kurkumy w proszku, a orzechy nerkowca najpierw namoczyć przez 8 godzin lub na noc, żeby zmiękły).

DRESSING Z JAGÓD ACAI

Jagody acai są wspaniałym dodatkiem do żywności, gdyż mają wiele bardzo potrzebnych i korzystnych dla zdrowia składników odżywczych. Świetnie też nadają się do dressingów, które dzięki nim zyskują słodko-kwaśny smak. Często sprzedaje się je w formie proszku, więc łatwo dodawać je do koktajli i dressingów, a ich przepiękny ciemnofioletowy kolor znakomicie komponuje się z Surówką z czerwonej kapusty i falbanek z cukinii (patrz strona 33).

2 łyżki sproszkowanych jagód acai
2 łyżki soku jabłkowego
1 łyżka melasy z granatów

Wszystkie składniki mieszamy w blenderze na gładką masę.

DRESSING ZE SPIRULINĄ

Sipirulina jest szmaragdowozielonym glonem i zalicza się do superżywności. Ja wykorzystałam w tym przepisie jej sproszkowaną postać. Ma ona bardzo intensywny smak, więc jeśli dressing wyda nam się zbyt gorzki, dodajmy więcej słodzika. Zwykle podaję ten dressing z Sałatką z rukoli i rzodkwi (patrz strona 97) lub skrapiam nim sałatkę ze świeżych owoców.

½ łyżeczki sproszkowanej spiruliny
drobno starta skórka i sok z 1 cytryny
2 łyżeczki pasty daktylowej lub innego słodzika

Wszystkie składniki mieszamy w blenderze na gładką masę.

SOS „CZEKOLADOWY"

Surowe kakao zalicza się do superżywności, jest pełne przeciwutleniaczy, witamin i minerałów. W tym przepisie powstaje z niego bogaty, gęsty i lśniący sos, będący świetnym zamiennikiem dla białego sosu czekoladowego w Sałatce z mrożonych owoców (patrz strona 115) lub po prostu polewam nim lody z bananów.

4 łyżki oleju kokosowego
1 strączek wanilii
3 łyżki kakao w proszku
2 łyżki miodu lub innego słodzika

Delikatnie podgrzewamy olej kokosowy, żeby zrobił się płynny i wyskrobujemy nasiona z wanilii. Wszystkie składniki przekładamy do blendera o wysokiej prędkości i rozdrabniamy na jedwabiście gładką, czekoladową masę.

PIKANTNY SOS JOGURTOWY

Jogurt świetnie się sprawdza jako dip, sos lub dressing do dowolnego słodkiego lub słonawego dania, ale jeśli nie jadamy mleka ani jego przetworów, to zamieńmy go na jakiś dip z orzechów lub oleju kokosowego. Przedstawiony w przepisie ostro przyprawiony jogurt dobrze pasuje do słodkich surowych warzyw lub do Sałatki z czerwonych owoców (patrz strona 111) lub Sałatki ze smoczego owocu (patrz strona 99), polanej lub nie dressingiem z męczennicy i klementynek.

200 ml naturalnego jogurtu (lub „jogurtu" z 100 g orzechów nerkowca, 100 ml wody kokosowej i 2 daktyli medjool bez pestek, rozdrobnionych na gładką masę)
drobno starta skórka i sok z 1 pomarańczy
2 łyżeczki syropu klonowego lub innego słodzika
½ łyżeczki etiopskiej mieszanki przypraw berbere, przyprawy sumak lub mielonego cynamonu

Wszystkie składniki mieszamy trzepaczką lub blenderem, aż się połączą. Tak przyprawiony jogurt podajemy posypany skórką pomarańczy i przyprawą sumak oraz (jeśli chcemy) udekorowany laską cynamonu.

Od lewej do prawej: Kremowy dressing z kurkumą, Pikantny sos jogurtowy, Dressing ze spiruliną, Dressing za'atar, Dressing marokański

Posypki

Istnieje niemal nieskończona liczba pięknych, aromatycznych i odżywczych składników, którymi można posypać z wierzchu sałatkę, żeby nadać jej odpowiednie wykończenie i więcej charakteru, dodać aromatu czy też w ogóle tego „czegoś", co sprawi, że biesiadnicy wrócą po dokładkę.

Po co posypka...

- żeby dodać sałatce „czynnika X"
- jako końcowa warstwa aromatu i koloru
- aby dodać trochę białka, zawartego np. w orzechach, nasionach, tofu, rybie, pieczonym kurczaku lub grillowanym mięsie
- aby wzbogacić fakturę – niektóre składniki, posypane po wierzchu, a nie dodane do sałatki, lepiej i dłużej zachowują chrupkość.

PODRASUJ SWOJĄ SAŁATKĘ!

Uwielbiam wykańczać sałatki, obsypując je dodatkami, które mogą być tak proste, jak garść świeżych ziół prosto z ogrodu lub błyszczące jak klejnoty pestki granatu, aż po bardziej skomplikowane, pełne wyrafinowanych aromatów przyprawy warzywne lub pyszne posypki o smaku umami. Wszystkie te pyszności, oraz te, których przepisy podano niżej, nadają sałatkom ciekawy wygląd, aromat i fakturę.

Poniżej podaję kilka swoich ulubionych dodatków, którymi podrasowuję sałatki (pamiętajmy, że posypki i tego typu inne pyszności najlepiej dodawać w ostatnim momencie, bo w przeciwnym razie mogą namięknąć, a nawet zginąć w sałatce).

- Jadalne świeże kwiaty, w tym najrozmaitsze kwiaty z kwitnący ziół i warzyw. Warto zapolować np. na pączki *Acmella oleracea* (małe, żółte pączki kwiatowe), które – gdy się je zjada – delikatnie drażnią śluzówkę jamy ustnej.
- Młode listki sałaty, kiełki groszku, siewki różnych zielenin i ziół, lub bladozielone listki selera naciowego.
- Młodziutkie warzywa, takie jak marchewki czy cukinie, lub siewki warzyw i ziół, a nawet cieniutkie plasterki warzyw.
- Drobno starte orzechy i nasiona, takie jak migdały i makadamia – wyglądają całkiem jak tarty parmezan.
- Orzechy i nasiona (całe lub siekane), surowe, prażone lub w pikantnym karmelu albo jako słona granola.
- Artystycznie wykrawane owoce i warzywa.
- Dzikie i hodowlane czarne jagody, kwiaty dzikiego bzu, listki lub kwiaty czosnku niedźwiedziego albo liście mniszka.
- Dekoracyjne rośliny, takie jak koperek czy brązowy fenkuł.
- Kolorowe suszone owoce.
- Grzanki (pieczone, smażone lub suszone) żytnie na zakwasie, kukurydziane, ze zwykłych lub słodkich ziemniaków.
- Kolorowe sproszkowane owoce, warzywa lub superżywność, w tym czarne jagody, cytrusy, pomidory, zioła, jagody acai, spirulina czy chlorella.
- Glony morskie lub inne jadalne rośliny morskie, takie jak nori, kombu czy konfetti z glonów.
- Kiełkujące nasiona i fasolki.
- Gotowane lub karmelizowane warzywa.
- Piklowane lub fermentowane warzywa, takie jak oliwki, kapary, owoce kaparów czy kimchi (koreańskie warzywa kiszone lub fermentowane).
- Wiórki kokosowe, pyłek pszczeli, nasiona szałwii hiszpańskiej (chia) czy prażona gryka.
- Chipsy warzywne, suszone owoce i warzywa oraz prażone zioła.
- Jadalny brokat lub jadalne złote listki czy proszek – na specjalne okazje!

PIKANTNE GRZANKI ZIEMNIACZANE

Można je zrobić z ziemniaków słodkich i zwykłych, ale te ostatnie będą się dłużej piec.

4-5 dużych, wyszorowanych ziemniaków
3 łyżki tłoczonej na zimno oliwy z oliwek lub płynnego oleju kokosowego
2 łyżki suszonych lub świeżych, siekanych ziół
1 łyżeczka przyprawy ras-el-hanout
2 obrane i drobno posiekane ząbki czosnku
sól i pieprz do smaku

Rozgrzewamy piekarnik do 220 °C (gazowy nastawiamy na 7) i rozgrzewamy 2-3 blachy do pieczenia.
Kroimy ziemniaki w kostkę o boku 5 mm i przekładamy do miski z oliwą, ziołami, przyprawą, czosnkiem, solą i pieprzem. Mieszamy dokładnie, aż całe się pokryją tą mieszanką. Przekładamy na rozgrzane blachy i rozkładamy pojedynczą warstwą.
Pieczemy przez 20-30 minut do miękkości, aż zrobią się złotobrązowe i chrupiące. Gotowe grzanki przekładamy do naczynia wyłożonego papierowym ręcznikiem. Osączamy z tłuszczu i podajemy.

CHIPSY Z PARMEZANU

Bardzo proste do zrobienia, ale pyszne chipsy wspaniale potrafią skusić osoby nie lubiące surówek, żeby spojrzały, a nawet się poczęstowały drugi raz.

100 g drobno tartego parmezanu

Rozgrzewamy piekarnik do 180 °C (gazowy nastawiamy na 4) i wykładamy blachę do pieczenia papierem odpornym na tłuszcz.
Łyżeczką rozkładamy na blasze kopczyki z parmezanu, zostawiając między nimi odstępy. Lekko spłaszczamy każdy kopczyk palcem, wkładamy blachę do piekarnika na 5-10 minut, aż ser zrobi się złotobrązowy i zacznie „bąbelkować".
Gdy chipsy lekko przestygną, szpatułką przekładamy je na kratkę i całkowicie studzimy, zanim podamy je do sałatki.

SMAŻONE LIŚCIE SZAŁWII

Często podaje się je we Włoszech jako część przekąski. Można je też potraktować jako doskonałą, chrupiącą posypkę do sałatki – nawet jeśli niezbyt lubimy szałwię, tak przygotowana będzie nam smakować, ponieważ nabiera całkiem innego smaku.

2 łyżki oleju słonecznikowego
1 garść liści szałwii
½ łyżeczki soli morskiej

Rozgrzewamy olej na płytkiej patelni na średnim ogniu i smażymy liście szałwii, aż zrobią się chrupkie i jaskrawozielone.
Zdejmujemy z patelni, osączamy z tłuszczu na papierowym ręczniku i tuż przed podaniem posypujemy solą.

GRZYBY MARYNOWANE

Smak grzybów jest tym lepszy, im dłużej leżą one w marynacie.

450 g oczyszczonych grzybów; mogą to być pieczarki, ale inne gatunki, takie jak shiitake (twardnik japoński), shimeji („grzyby bukowe"), enoki (płomienica zimowa), crimini (pieczarka dwuzarodnikowa) i boczniaki mają ciekawszy smak.
4 łyżki tłoczonej na zimno oliwy z oliwek
2 łyżki octu z białego wina
2-3 obrane i cienko pokrojone ząbki czosnku
sok z 1 cytryny
szczypta cukru (niekoniecznie)
1 mała garść mieszanej, siekanej zieleniny, jak estragon, oregano, natka pietruszki i tymianek
sól i pieprz do smaku

Grzyby rwiemy na kawałki, a duże okazy kroimy na jeden kęs i przekładamy do miski.
Wszystkie pozostałe składniki mieszamy trzepaczką i tak przygotowaną marynatą zalewamy grzyby. Przyprawiamy do smaku i mieszamy, aż grzyby całe pokryją się marynatą, przykrywamy i odstawiamy na 20 minut, a jeszcze lepiej wstawiamy do lodówki na całą noc.
Podajemy w temperaturze pokojowej.

CHIŃSKIE GLONY Z JARMUŻU

Jest to mniej więcej to samo, co chipsy z jarmużu, ale dzięki temu, że jarmuż jest podzielony na cienkie paski, smakuje niemal tak samo, jak chrupiące glony w chińskiej restauracji.

1 pęczek liści jarmużu
2 łyżki tłoczonej na zimno oliwy z oliwek
½ łyżeczki soli morskiej

Rozgrzewamy piekarnik do 150 °C (gazowy nastawiamy na 2) i wykładamy papierem dwie blachy do pieczenia.
Odrywamy liściaste części od łodyg (łodygi zostawiamy na sok do picia). Kroimy na cienkie paski i mieszamy z oliwą i solą, aż całkiem się nimi pokryją.
Rozkładamy jarmuż na blachach i pieczemy w piekarniku przez 5-10 minut, jeden raz obracając, aż nabiorą ciemnozielonej barwy i zrobią się chrupiące.
Wyjmujemy z piekarnika i studzimy.

SUROWY „PARMEZAN"

Niemleczna alternatywa posypki serowej. Ma taką samą konsystencję, jak drobno tarty parmezan, a także podobny, słonawy smak.

100 g orzechów włoskich lub zblanszowanych migdałów
1 mały obrany ząbek czosnku
½ łyżeczki soli morskiej

Składniki rozdrabniamy w blenderze do odpowiedniej konsystencji.

BEKON KOKOSOWY

Sprytny wegański sposób na odtworzenie słonawego smaku prawdziwego bekonu.

2 łyżki płynnego „dymu wędzarniczego" (lub 1 łyżka wędzonej papryki zmieszana z 1 łyżeczką wody)
2 łyżki sosu sojowego, tamari lub nama shoyu
1 łyżka syropu klonowego lub innego słodzika
200 g płatków kokosowych (im większe, tym lepsze)

Rozgrzewamy piekarnik do 180 °C (gazowy nastawiamy na 4) i wykładamy papierem dwie blachy do pieczenia. W średniej wielkości misce mieszamy wszystkie składniki, z wyjątkiem płatków kokosowych, z 1 łyżką wody. Gdy się połączą, wsypujemy płatki kokosowe, delikatnie mieszamy, aż całe pokryją się mieszaniną.
Wyjmujemy płatki łyżką cedzakową i rozkładamy cienką warstwą na blachach. Pieczemy przez 2-5 minut w piekarniku, aż zrobią się chrupiące i brązowe, a następnie przenosimy na kratkę do wystudzenia. Bekon kokosowy można przechowywać w szczelnym pojemniku do 1 tygodnia.

SUSZONE KRĄŻKI JABŁEK

Odwodnienie jest doskonałym sposobem na konserwację owoców (i warzyw), które w tej postaci stanowią pożywny dodatek do surówek.

4-5 jabłek do jedzenia, obranych ze skórki, jeśli jest ona twarda
2 łyżki soku z cytryny

Rozgrzewamy piekarnik do 65 °C (gazowy nastawiamy na ¼).

Z jabłek usuwamy gniazda nasienne i ogonki, a miąższ kroimy na pierścienie grubości 3 mm i pokrywamy sokiem z cytryny, żeby nie sczerniały. Tak przygotowane jabłka rozkładamy bezpośrednio na kratce w pewnych odstępach od siebie i suszymy w piekarniku 6-12 godzin, aż będą suche, ale wciąż nieco miękkawe. Pozostawiamy do wystudzenia. Tę metodę można stosować do większości owoców, w tym mango, truskawek i kiwi.

POSYPKA Z NASION I ORZECHÓW

Pełna składników odżywczych mieszanka mielonych orzechów i nasion wspaniale nadaje się do posypania dowolnej potrawy, nie tylko sałatek.

po 2-3 łyżki orzechów włoskich, migdałów, pestek dyni, nasion słonecznika, nasion sezamu, nasion konopi siewnych i nasion chia

Przekładamy orzechy i nasiona do robota kuchennego wyposażonego w ostrze „S" (do siekania) i rozdrabniamy na grubą, ziarnistą posypkę. Jeśli chcemy uzyskać drobniejszy proszek, użyjmy młynka do kawy. Przechowujemy w szczelnym pojemniku.

POSYPKA UMAMI

W Japonii umami jest sklasyfikowany jako piąty smak. Nadaje słonym potrawom niezwykłą głębię i aromat, jednak, choć jest wiele gotowych mieszanek o tym smaku, naprawdę przyjemnie jest stworzyć własny „magiczny" proszek umami. Posypujemy nim sałatki tuż przed podaniem.

25 g suszonych grzybów shiitake (twardnik japoński) lub prawdziwków
1 łyżka gotowego proszku z pomidorów lub przygotujmy własny (patrz strona 140)
1 łyżka proszku z listownicy lub kombu
1 łyżka płatków z bonito (tuńczyk pasiasty) (niekoniecznie)
1 łyżeczka soli morskiej
szczypta soli czosnkowej
szczypta suszonego oregano
szczypta suszonych płatków chili
szczypta świeżo zmielonego czarnego pieprzu

Wszystkie składniki przekładamy do robota kuchennego, blendera lub młynka do kawy i rozdrabniamy na miałki proszek. Można przechowywać w szczelnie zamkniętym słoiku nawet 2-3 miesiące.
W wersji jarskiej nie używamy płatków tuńczyka, ale dodajemy za to więcej proszku z listownicy.

KRUSZONKA Z NASION I ORZECHÓW

Dodaje aromatu i chrupkości zarówno słodkim, jak i słonym sałatkom.

50 g pestek dyni
25 g sezamu
100 g siekanych orzechów laskowych
100 g nieprażonej gryki
2 łyżki miodu
szczypta suszonych płatków chili

Rozgrzewamy piekarnik do 150 °C (gazowy nastawiamy na 2) i wykładamy papierem blachę do pieczenia.

Mieszamy wszystkie składniki w misce z 1 łyżką wody, a następnie rozkładamy cienką, równą warstwą na blasze.

Pieczemy 20-30 minut, aż będzie chrupiąca i zmieni kolor na złotobrązowy, po czym studzimy i dzielimy na kawałki. Tak przygotowaną kruszonką posypujemy sałatkę.

Bardziej słoną wersję uzyskamy, dodając garstkę płatków nori lub porwanych „liści" nori.

By kruszonka była słodsza, łączymy orzechy i nasiona z 50 g suszonych owoców, jak sułtanki, żurawiny lub wiśnie, 1 łyżką syropu lub innego słodzika oraz 1 łyżką oleju kokosowego.

Od lewej do prawej: suszone owoce, chipsy z parmezanu, grzanki z chleba, chipsy z jarmużu, bekon kokosowy

BŁYSKAWICZNE PIKLE WARZYWNE

Pikle te są bardzo proste do wykonania, a dodają sałatkom chrupkości oraz ciekawy smak i aromat.

2 łyżki winnej przyprawy mirin lub octu z wina ryżowego
3 łyżki soku z cytryny
3 łyżki sosu rybnego
1 łyżka cukru kryształu
1 obrany i starty ząbek czosnku
2 łyżeczki startego świeżego imbiru
300 g przygotowanych i pokrojonych w bardzo cienkie plasterki chrupkich warzyw, jak rzodkiewki, seler naciowy, fenkuł, rzodkiew japońska, marchewka, kapusta lub ogórek, papryka

Aby przyrządzić marynatę, w dużej misce mieszamy trzepaczką mirin lub ocet, sok z cytryny, sos rybny, cukier, czosnek i imbir, aż cukier się rozpuści. Przyprawiamy pieprzem.
Do marynaty wkładamy pokrojone warzywa, dokładnie mieszamy i odstawiamy na 10-30 minut w temperaturze pokojowej.
Tuż przed podaniem wyjmujemy warzywa z marynaty i wykorzystujemy wedle potrzeby. (Sama marynata świetnie się nadaje do dressingu).

BŁYSKAWICZNE PIKLE Z SZALOTKI

Jeśli nie lubimy w sałatce ostrego smaku surowych szalotek czy cebuli, możemy te warzywa krótko zamarynować w słodkiej marynacie octowej – tracą wtedy całą goryczkę, a ich smak łagodnieje.

2 łyżki octu z czerwonego wina
3 łyżki tłoczonej na zimno oliwy z oliwek
1 łyżka cukru kryształu
1 duża szalotka lub cebula podobnej wielkości, obrana i pokrojona w cienkie plasterki
1 obrany i cienko pokrojony ząbek czosnku
sól i pieprz do smaku

Aby przyrządzić marynatę, w dużej misce mieszamy trzepaczką ocet, oliwę z oliwek i cukier, aż cukier się rozpuści.
Do marynaty wkładamy szalotkę (lub cebulę) i czosnek, dokładnie mieszamy i odstawiamy na 30 minut w temperaturze pokojowej.
Tuż przed podaniem wyjmujemy szalotkę i czosnek z marynaty i wykorzystujemy wedle potrzeby. (Sama marynata świetnie się nadaje do dressingu).

BŁYSKAWICZNE PIKLE Z OWOCÓW

Owoce są równie dobre w wersji marynowanej, jak warzywa. Można nie obierać ze skórki jabłek, brzoskwiń i nektarynek, ponieważ w marynacie zmiękną.

2 łyżki octu z białego lub czerwonego wina
1 łyżeczka cukru kryształu
2 garście przygotowanych i pokrojonych w plasterki owoców, jak brzoskwinie, jabłka, arbuz, nektarynki i ananas
1 szalotka
sól i pieprz do smaku

Aby przyrządzić marynatę, w misce mieszamy trzepaczką ocet, cukier, sól i pieprz, aż cukier się rozpuści.
Do marynaty wkładamy owoce i szalotkę, dokładnie mieszamy i odstawiamy na 30 minut w temperaturze pokojowej.
Tuż przed podaniem wyjmujemy szalotkę i owoce z marynaty i wykorzystujemy wedle potrzeby. (Sama marynata świetnie się nadaje do dressingu).

WINOGRONA MARYNOWANE NA OSTRO

Winogrona dodają sałatce nieco skondensowanej słodyczy. Te błyskawicznie zamarynowane pikle z winogron są również nieco pikantne, a także kwaskowe, więc sałatka zyskuje dzięki nim całkiem nowy wymiar. Doskonale smakują również z serem.

400 ml octu z wina ryżowego
2 łyżki cukru kryształu
2 anyże gwiazdkowate
½ łyżeczki nasion kopru włoskiego
1-2 łyżki suszonych płatków chili
1 łyżeczka soli
3 łyżki soku pomarańczowego
2 grona małych bezpestkowych winogron

Aby przyrządzić marynatę, w misce mieszamy trzepaczką ocet, cukier, anyżek, koper włoski, płatki chili, sól, sok z pomarańczy i 5 łyżek wody, aż cukier się rozpuści.
Obrywamy winogrona z gałązek i wkładamy je do marynaty, dokładnie mieszamy i odstawiamy na 30 minut w temperaturze pokojowej lub na całą noc do lodówki.
Następnie wyjmujemy winogrona z marynaty, którą zachowujemy do dressingu. Marynowane winogrona można przygotować kilka dni przez planowanym podaniem i przechowywać w lodówce.

SPROSZKOWANE OWOCE, WARZYWA I ZIOŁA

Takie proszki bardzo łatwo przygotować samemu i dodawać do sałatek, kiedy tylko przyjdzie nam fantazja. Nadają one wszelkim potrawom wspaniały smak i wykończenie. Używajmy ich z umiarem, gdyż są bardzo skoncentrowane.

Suszenie przygotowanych składników w specjalnej suszarce byłoby idealne, ale wystarczy rozłożyć wybrane składniki na kratce lub na blasze do pieczenia i wstawić do piekarnika rozgrzanego do 65 °C (gazowy nastawiamy na ¼) lub na najniższą temperaturę, na jaką da się go nastawić.

Wysuszone składniki kruszymy i rozdrabniamy porcjami. Najlepiej sprawdzają się młynek do przypraw, młynek do kawy lub blender o wysokiej prędkości.

Proszek zużywamy od razu lub przechowujemy w szczelnym pojemniku, żeby nie zwilgotniał, nawet do 6 miesięcy.

Nie trzymajmy tej przyprawy tylko do sałatek, posypujmy nią wszystko, co tylko podpowie nam fantazja. Można go też dodawać do koktajli, granoli, zup, sosów, budyniów i wypieków – ciast, herbatników i ciasta chlebowego lub do dań z ryb i mięs.

Niżej podałam pięć propozycji składu takiego proszku, ale każdy może skomponować własne.

SPROSZKOWANE BURAKI

Bardzo cienko kroimy w plasterki 46 wyszorowanych lub obranych buraków. Wstawiamy je do piekarnika na 3-4 godziny, aż będą całkiem suche i kruche, po czym kruszymy je na proszek.

SPROSZKOWANE ZIOŁA

2 pęczki zieleniny o miękkich liściach, jak natka pietruszki, kolendra, tymianek, szałwia i koperek rozkładamy na kratce lub blasze do pieczenia. Wstawiamy do piekarnika na 90 minut, aż całkiem wyschną, a następnie kruszymy i mielemy na proszek

SPROSZKOWANE OWOCE I WARZYWA

Oczyszczone owoce i warzywa – pozbawione pestek, szypułek, gniazd nasiennych, twardej skóry itp. – takie jak truskawki, maliny, kiwi, cytrusy, rabarbar, jabłka i marchewka, kroimy na cienkie plasterki. Pamiętajmy, że wilgotne owoce i warzywa będą schły dłużej. Wstawiamy do piekarnika na 5-6 godzin, aż będą całkiem wysuszone, a następnie kruszymy je i mielemy na proszek.

SPROSZKOWANE POMIDORY

Kroimy 500 g pomidorów na plasterki tak cienkie, jak się tylko da. Pokrojone pomidory wstawiamy do piekarnika na 5-6 godzi, aż całkiem wyschną, a następnie kruszymy je i mielemy na proszek.

SPROSZKOWANA SKÓRKA CYTRUSÓW

Odkrawamy skórkę z 4-5 cytrusów, jak pomarańcze, cytryny i grejpfruity. Przekładamy ją na patelnię, zalewamy zimną wodą, żeby ją przykryła, zagotowujemy i gotujemy przez 1 minutę. Osączamy z wody, płuczemy w zimnej wodzie, osuszamy ręcznikiem papierowym. Wstawiamy do piekarnika na 18-24 godziny, aż całkiem się wysuszą, a następnie kruszymy i mielemy na proszek.

INDEKS

KILKA SŁÓW O AMBER

Amber od najmłodszych lat uwielbiała warzywa i owoce, ponieważ jej rodzice mieli duży ogród warzywny, więc w domu zawsze było mnóstwo świeżych owoców, warzyw, sałat i ziół, które rosły praktycznie tuż za progiem.

Początkowo Amber pracowała w marketingu korporacyjnym, a także prowadziła własną agencję doradczą. Dwa lata temu zetknęła się z ideą odżywiania się wyłącznie surowymi produktami i postanowiła wypróbować ją w praktyce, w ramach eksperymentu. Jednak rezultaty zachęciły ją do kontynuowania tego sposobu żywienia, ponieważ doskonale się czuła i to zaledwie kilka dni po tym, jak zaczęła jeść tylko surową żywność.

Obecnie Amber ma w swojej diecie 80-90 procent surowych produktów, gdyż służy to jej zdrowiu, jednak chętnie przygotowuje gotowane posiłki dla reszty swojej rodziny, przy czym cały czas stara się znaleźć ekscytujące i coraz to nowe sposoby zachęcenia innych do włączenia do diety większej ilości surowizn – owoców i warzyw.

Jedną z pasji Amber jest komponowanie i przygotowywanie surówek. Tworzy również artystyczne kompozycje z owoców i warzyw, zmieniając je w przyciągające wzrok artystyczne wzory, które sprzedaje potem wydrukowane w limitowanych seriach.

PODZIĘKOWANIA

Dziękuję przede wszystkim moim rodzicom, za ich miłość i ogromne wsparcie. Za uprawianie tych wszystkich roślin, dostarczanie ich, malowanie tablic z tłem, opiekowanie się psem, kiedy jestem zajęta itd. itp. – lista ich zasług jest nieskończona! Nie zrobiłabym niczego bez was. Dziękuję również za przekazanie mi waszej pasji (oraz odrobiny waszego twórczego talentu!) do żywności, gotowania i sztuki.

Wdzięczna też jestem mojemu partnerowi Markowi i naszemu ukochanemu czekoladowego labradorowi Maxowi; wasze wsparcie (i szczekanie!) każdego dnia dodaje mi sił.

Dziękuję też „królowej soków" Klarze Rosen, która wyszukała mnie na Instagramie i zaoferowała pierwsze zlecenie – zawsze będę za to wdzięczna. Podziękowania zechcą też przyjąć Calgary Avansino i Valentina Zelyaeva za zapoznanie mnie z ideą surowej żywności i przekazania fascynacji, która dosłownie zmieniła moje życie.

Składam podziękowania Viv Irish i Joy Hales (redaktorkom z magazynu „Derbyshire Life"), którym zawdzięcza pierwszy przełom w pisaniu o jedzeniu. Jamie O i Pete przyjmą moje najgorętsze podziękowania za zainteresowanie tym, co robię, i wprowadzenie mnie do wspaniałego świata Instagrama oraz kandyzowanych buraków!

Dziękuję wspaniałemu zespołowi Octopusa: Stephanie Jackson za radość życia, entuzjazm i wiarę we mnie; Yasi Williams za twórczy geniusz i anielską cierpliwość do niekończącej się rzeki moich zdjęć; Polly Poulter za wspaniałą redakcję moich tekstów, oraz Karen Baker i zespołowi Public Relations za całą energię włożoną w promocję tej książki. A także mojej kochanej agentce Jo Cavey za to, że pojawiła się w moim życiu w absolutnie odpowiednim momencie.

Na koniec zaś dziękuję mojej „rodzinie" z mediów społecznych i Instagrama oraz tym wszystkim, którzy śledzą moje dokonania – bez was ta książka by nie powstała.

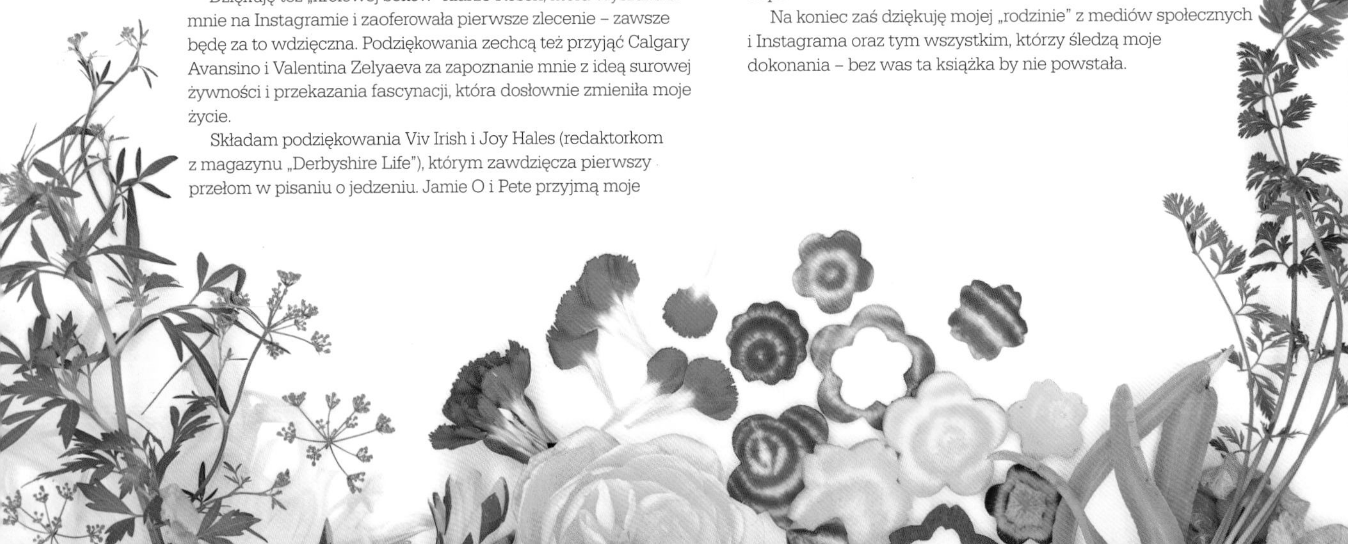